Jean-Joseph Julaud

Le petit livre de la

grammaire facile

ISBN 2-87691-940-0
Dépôt légal : 3e trimestre 2004
Imprimé en Italie

Conception graphique : Pascale Desmazières

Nous nous efforçons de publier des ouvrages qui correspondent à vos attentes et votre satisfaction est pour nous une priorité. Alors, n'hésitez pas à nous faire part de vos commentaires à :
Éditions Générales First
27, rue Cassette
75006 Paris - France
Tél. : 01 45 49 60 00
Fax : 01 45 49 60 01
e-mail : firstinfo@efirst.com
En avant-première, nos prochaines parutions, des résumés de tous les ouvrages du catalogue. Dialoguez en toute liberté avec nos auteurs et nos éditeurs. Tout cela et bien plus sur Internet à : www.efirst.com

Sommaire

Du même auteur

Le Sang des choses – Contes et nouvelles.Corps 9 Éditions 1983.

La Nuit étoilée 1984 – Nouvelles.Corps 9 Éditions 1984.

Pour mieux dire « Peut mieux faire » – Guide pratique à l'usage des enseignants – Éditions François Chapel 1986.

Mort d'un kiosquier – Récits. Éditions Critérion 1994.

Mon enfant est au collège.Éditions First 1999.

Mon enfant est à l'école primaire (en collaboration avec Claudine Julaud) – Éditions First 1999.

Tu feras l'X – Roman. Liv'Éditions 2001.

Ça ne va pas ? Manuel de poésiethérapie. Le Cherche Midi 2001.

Le Petit Livre des tests du français correct. Éditions First 2001.

Le français correct pour les Nuls. Éditions First 2001.

Le Petit Livre du français correct. Éditions First 2002.

Le Petit Livre de la conjugaison correcte. Éditions First 2002.

Plus de 800 questions, catégorie Lettres. Éditions First 2003

Plus de 800 questions, catégorie Sciences. Éditions First 2003

Café grec – Roman. Éditions Le Cherche Midi 2003.

L'Histoire de France pour les Nuls. Éditions First 2004.

Préface

Le sujet, le COD, la proposition, la conjonction, le présent, le participe passé... Assez ! La grammaire, on n'y comprend rien ! C'est du temps perdu ! Et puis, à quoi ça sert dans la vie ?
À rien ! Sinon à prendre le recul nécessaire pour examiner la phrase qu'on bâtit...
À rien ! Sinon à réparer une structure afin que s'envole, sûre, une déclaration à vie...
À rien ! Sinon à expliquer pourquoi la phrase boite et s'avance, maladroite, mal à l'aise, dans l'entretien du destin...
À rien du tout ! La grammaire ne sert à rien du tout ! Sauf à mettre d'accord entre eux les mots qui pourraient dire n'importe quoi si on les laissait sans surveillance...
Sauf à gagner la confiance d'une autre langue ...
Sauf à offrir à la pensée la meilleure voie pour s'en aller vers un autre que soi...
Voilà, c'est démontré : la grammaire ne sert à rien, vraiment à rien ! C'est inutile comme la parole, l'écriture ou la pensée ! Mais on peut toujours changer d'avis... On essaie ?

Jean-Joseph Julaud

Comment utiliser ce livre ?

Vous voulez revoir l'ensemble des notions grammaticales ? Laissez-vous aller au plaisir de la lecture des chapitres construits en petits paragraphes très faciles à assimiler !

Vous voulez approfondir une notion en particulier ? Consultez l'index détaillé en fin d'ouvrage et reportez-vous aux pages indiquées !

Vous voulez vous amuser tout en réactualisant votre savoir ? N'oubliez pas de lire tous les exemples proposés, toutes les mises en situation : de multiples déclencheurs de rires et de sourires y ont été dissimulés !

***Vous ne voulez plus* négliger le participe passé ni demeurer coi devant un COI ?** Vous avez fait le bon choix !

Vingt et cent : de sacrés numéraux !

1

Des chiffres, toujours des chiffres ! Le salaire, les courses, le prix du Super, celui du pain ordinaire, des côtelettes, du bifteck, les impôts et les taxes, mais aussi le nombre de kilomètres pour aller à Baalbek, ou bien au pays des kopecks... Vous réglez par chèque ? Horreur ! Il va falloir les écrire en lettres, ces chiffres ! « Je ne l'ai jamais sue, cette maudite règle... »

Mais si ! Vous l'avez apprise par cœur, cette règle ! Rappelez-vous : les adjectifs numéraux cardinaux (un, deux, trois, cinq, douze, mille, etc.) sont invariables, sauf **vingt et cent,** qui prennent un « s » s'ils sont multipliés et non suivis d'un autre adjectif numéral cardinal.

Des exemples ? En voici, en voilà...

- Ce pompier fume **quatre-vingts** cigarettes par jour.
- La vitesse des coureurs du Tour de France va être limitée à **quatre-vingt-dix** kilomètres à l'heure.

- La période de révolution de la planète Mars est de **six cent quatre-vingt-sept jours**.
- **Sept cents millions** de Chinois, et moi, et moi, et moi…

On vous l'a dit et répété : on met un trait d'union au-dessous de cent, sauf pour vingt et un, trente et un, quarante et un, cinquante et un, soixante et un, soixante et onze (on écrit quatre-vingt-un, quatre-vingt-onze). Dans **quatre-vingt-trois mille sept cent huit**, quatre-vingt-trois, au-dessous de cent, s'écrit avec des traits d'union.

Allons ! Un petit effort de mémoire : dans **quatre-vingt mille,** vingt étant suivi de l'adjectif numéral cardinal mille, on ne l'accorde pas. Mais dans **quatre-vingts millions**, on accorde vingt au pluriel, car « millions » n'est pas un adjectif numéral, c'est un nom commun !

Auriez-vous oublié ce détail ? Zéro est un nom commun : il doit donc prendre la marque du pluriel. Dans mille, **trois zéros** suivent le chiffre un.

Non ! Pas vous ! Vous ne pouvez ignorer cela ! On écrit ou l'on dit : page un (mais on dit la une d'un journal), page vingt et un (et non page vingt et une), le train partira de la voie un (et non de la voie une).

Si vous connaissez ce qui suit, vous êtes au top ! On écrit sans accorder : page quatre-vingt, page deux cent, l'an mille neuf cent, l'année mille neuf cent quatre-vingt... Tous ces nombres indiquant un rang.

On ne peut pas tout savoir ! Mais maintenant, vous saurez : mille peut être un nom commun. Il désigne alors une distance précise de 1 852 m. Dans ce cas, il prend la marque du pluriel : le requin est à **trois milles** de la côte, c'est-à-dire à trois fois 1 852 m.

Avec le détail suivant, vous aurez une longueur d'avance : il ne faut pas confondre le mille marin (1 852 m) et le *mile* anglais (1 609 m) qui se prononce [maïl].

Attention ! dérapages fréquents !

L'euro et la prononciation : *parce qu'ils ne se rappellent plus très bien la règle d'accord des adjectifs numéraux cardinaux, beaucoup ont décidé de ne plus faire aucun accord avec le mot euro, commettant ainsi une erreur systématique qui se répand de plus en plus. On dirait que leur* *euro prend, comme pour* ***h****éros, un* ***h*** *aspiré... Ainsi, on entend un* ***h****euro (comme on dit un* ***h****asard, un* ***h****ibou, un* ***h****aricot) comme deux* ***h****euros, trois* ***h****euros, deux cents* ***h****euros... Pourtant, lorsqu'on dit : « J'ai vingt ans », on ne prononce pas : « J'ai vingt* ***h****ans » mais « J'ai vingt-t-ans ». Lorsqu'on dit : « Cet enfant a deux ans », on ne prononce pas : « Cet enfant a deux* ***h****ans » mais « Cet enfant a deux-z-ans » et « Son arrière-grand-père a quatre-vingts-z-ans » et non « Son arrière-grand-père a quatre-vingts* ***h****ans »... On doit donc prononcer : un-n-euro, deux-z-euros, trois-z-euros, vingt-t-euros, vingt et un-n-euros, vingt-deux-z-euros, trente-trois-z-euros, quatre-vingts-z-euros, cent-t-euros, deux cents-z-euros, trois cents-z-euros, quatre cent vingt-t-euros, etc*

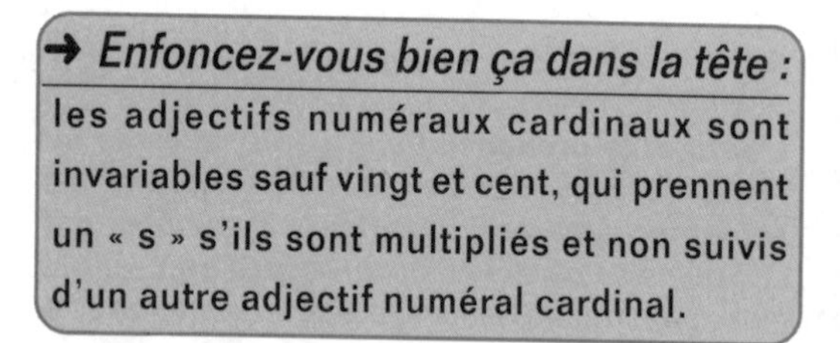

De toutes les couleurs !

2

Oh ! La belle bleue ! Oh ! La belle verte ! Oh ! La belle bleu-verte... euh... bleu-vert... euh... bleu vert... Eh bien, quel feu d'artifice ! « Et dire que jamais je n'ai appris cette règle de l'accord des adjectifs de couleur... »

Mais si ! Vous l'avez apprise par cœur cette règle ! Rappelez-vous : Les adjectifs de couleur (bleu, vert, jaune, etc.) s'accordent en genre et en nombre avec le nom qu'ils qualifient, sauf les adjectifs issus d'un nom commun (orange, marron, etc.). Cependant, six noms de couleur issus d'un nom varient comme les adjectifs : écarlate, mauve, pourpre, incarnat, fauve et rose. Les adjectifs de couleur composés demeurent invariables.

Des exemples ? En voici, en voilà...

- Ma Chimène, dit Rodrigue, porte de beaux bas framboise, du haut en bas.

- Mon père, dit Chimène, avait des bottes kaki, et des yeux bleu clair.

Un coup de pouce pour votre mémoire : on retient facilement la liste des exceptions : **é**carlate, **m**auve, **p**ourpre, **i**ncarnat, **f**auve et **r**ose, en prenant la première lettre de chacune d'elles. Cela donne : ***e, m, p, i, f, r***. (Il suffit de penser au verbe s'empiffrer et le tour est joué.)

Ayez le coup d'œil : un adjectif composé de deux couleurs s'écrit avec un trait d'union « Tu as de beaux yeux, tu sais ! Oui, **ils sont bleu-vert** ! »

Vous n'ignorerez plus ce détail : un adjectif composé d'une couleur et d'un adjectif n'indiquant pas une couleur ne prend pas de trait d'union « Les tiens sont **marron clair**, assortis à **tes chaussures marron foncé** ».

Vous n'ignorerez plus cet autre détail : lorsqu'on associe un adjectif de couleur à un adjectif issu d'un nom commun, on ne met pas de trait d'union « Avant de partir au combat, Rodrigue revêtit **sa capote bleu horizon** ».

Fixez bien vos couleurs ! Voici la liste des adjectifs de couleur issus de noms communs et donc invariables : *abricot, acajou, ardoise, argent, aubergine, auburn, azur, bistre, bitume, brique, bronze, cachou, café, capucine, caramel, carmin, cerise, champagne, châtaigne, chocolat, citron, coquelicot, corail, crème, cuivre, cyclamen, ébène, éme-*

raude, feuille-morte, framboise, garance, grenat, groseille, havane, indigo, isabelle, jade, jonquille, kaki, marron, mastic, moutarde, nacre, noisette, ocre, olive, or, orange, paille, pastèque, perle, pervenche, pie, pistache, prune, puce, rouille, safran, saphir, saumon, sépia, serin, soufre, tabac, thé, tilleul, tomate, topaze, turquoise.

Attention, dérapages fréquents !

Lorsqu'on écrit : **des balles rouges et bleues**, cela signifie qu'il y a des balles entièrement rouges et des balles entièrement bleues ; aucune des balles ne comporte à la fois du rouge et du bleu. Lorsqu'on écrit **des balles rouge et bleu**, cela signifie que chaque balle porte du rouge et du bleu.

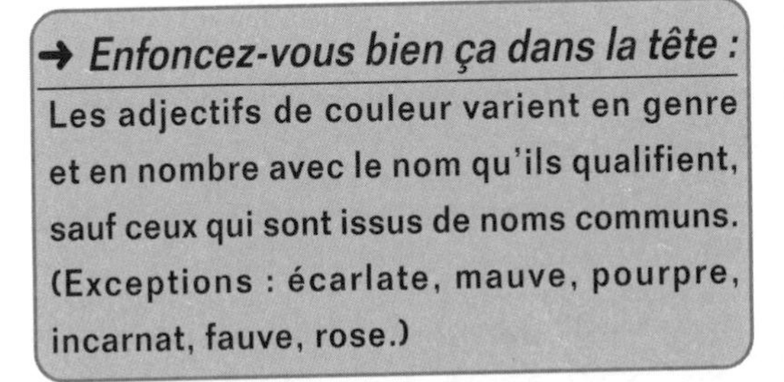

→ *Enfoncez-vous bien ça dans la tête :*

Les adjectifs de couleur varient en genre et en nombre avec le nom qu'ils qualifient, sauf ceux qui sont issus de noms communs. (Exceptions : écarlate, mauve, pourpre, incarnat, fauve, rose.)

3 Mots composés : accordez-vous !

« Chère tante, quel bel été nous avons passé ensemble ! Rappelle-toi nos fou-rires... euh... non... nos fou-rire... non, nos fous-rires... et puis nos piques-niques, euh... non... nos pique nique... non, nos... Et puis zut ! Je n'ai qu'à lui téléphoner ! Zut, encore ! J'ai perdu son numéro ! Zut, toujours ! Elle est sur liste rouge ! Zut, enfin ! Pas d'annuaire de liste rouge ! Un jour, j'en publierai un... Ah ! si j'avais appris cette maudite règle des mots composés ! »

Pourtant, vous l'avez apprise par cœur, cette « maudite règle », comme vous dites... Rappelez-vous !

Nom + nom : les deux varient (des choux-fleurs...).

Nom + complément : presque toujours, seul le nom varie (des timbres-poste, des arcs-en-ciel... Mais des bêtes à cornes !).

Nom + adjectif : les deux varient (des plates-bandes).

Adjectif + adjectif : les deux varient (des sourds-muets...).

Verbe + complément : seul le complément peut varier (des casse-noisettes, des pique-niques...).

Verbe + verbe : invariable (des laissez-passer...).

Mot invariable + nom : seul le nom varie (des non-lieux, des avant-projets, des avant-goûts, des avant-premières, des avant-scènes, des avant-trains, des avant-trous, des arrière-goûts, des arrière-trains...).

Des exemples ? En voici, en voilà...

- Pour son voyage d'affaires, le directeur dressa la liste de ce que devaient emporter ses secrétaires : *Des casse-noisettes, des casse-croûte, des ouvre-boîtes, des ouvre-bouteilles, des couvre-lits, des couvre-pieds, des passe-montagnes, des pense-bêtes (surtout, ne pas les oublier !), des pèse-lettres, des pique-niques, des tire-bouchons (pour les dîners-croisière !), des réveille-matin, des faire-part, des porte-plume, des casse-pieds (à éviter !).*

Profitez-en, vous avez le choix ! On écrit des

allers-retours, des aller et retour ou des aller-retour : c'est comme vous voulez !

Une demi-minute d'attention, et vous voilà plus savant : l'adjectif *demi*, relié au nom qu'il précède par un trait d'union, demeure invariable : une demi-heure, des demi-portions, des demi-finales (mais on écrit : une heure et demie, une portion et demie, etc.).

Soyez à cheval sur cet accord ! On écrit : des pur-sang, des sang-mêlé, des demi-sang.

Ne sauriez-vous plus, parfois, à quel saint vous vouer ? Pour le pluriel de *soutien-gorge*, on ne sait trop à quel saint se vouer, car tantôt on écrit : des soutiens-gorges, tantôt : des soutiens-gorge. Et rien n'indique si l'option « tout au pluriel » doit être utilisée pour souligner discrètement volume ou tenue. Le recours à *soutif* (*soutifs*, au pluriel) ne peut être accepté qu'en cas d'urgence !

Acquérez de bonnes manières ! Le mot *gentilhomme* fait, au pluriel, des *gentilshommes* (prononcer : [gentizom]).

Faites vos « comptes » sans erreur : on écrit avec un trait d'union : compte-gouttes, compte-tours. Attention : *compte rendu* s'écrit sans trait d'union (des comptes rendus).

Sachez piloter votre « auto » : les composés d'*auto* s'écrivent en un seul mot : autoallumage, autogestion, autoaccusation. Mais si le mot qui suit *auto* commence par un « i », on utilise le trait d'union afin d'éviter le son [oi] : auto-infection, auto-intoxication...

Ici, vous avez tout « faux » : *faux* n'est pas souvent suivi d'un trait d'union : faux passeport, faux jour, faux papiers, faux bourdon. Mais on trouve le trait d'union dans : faux-filet, faux-semblant (des faux-semblants), faux-fuyant (des faux-fuyants), faux-monnayeur...

Un peu de dignité ! On écrit : une grand-croix, (des grand-croix) lorsqu'il s'agit de la dignité la plus haute d'un ordre, mais on écrit des grands-croix s'il s'agit des personnes qui ont reçu cette distinction.

Connaissez-vous les accords secrets des

« grands » ? On écrit sans trait d'union : un grand officier, un grand prêtre, un grand prix. On écrit avec un trait d'union : un grand-duc, des grands-ducs ; une grande-duchesse, des grandes-duchesses ; un grand-oncle, des grands-oncles ; une grand-tante, des grand(s)-tantes ; une grand-maman, des grand(s)-mamans ; une grand-mère, des grand(s)-mères ; un grand-père, des grands-pères ; une grand-voile, des grand(s)-voiles...

Non et non ! Lorsque *non* est suivi d'un nom commun, il lui est relié par un trait d'union :
– Ce non-conformiste a obtenu un non-lieu pour sa non-violence.
S'il est suivi d'un adjectif, on n'utilise pas de trait d'union :
– C'est un lutteur non violent.

Entraidons-nous, ne nous entre-déchirons pas ! La préposition *entre* s'agglutine au verbe qui la suit : s'entradmirer, s'entraider, s'entraimer, entrapercevoir, entrelarder. Exceptions : s'entre-déchirer, s'entre-égorger, s'entre-détruire, s'entre-tuer, s'entre-dévorer *(bon appétit !)*.

C'est écrit là : « post » ! *Post* n'est pas suivi d'un trait d'union dans postnatal, postglaciaire, postposition, mais on en utilise un dans *post-scriptum*.

En garde ! Le mot *garde* est tantôt un verbe, donc invariable : des garde-boue (ce qui garde, préserve de la boue) ; tantôt un nom, donc variable : des gardes-chasse (ceux qui surveillent le territoire de chasse).

Passez de bons après-midi : le mot *après-midi* est invariable : des après-midi (après le midi).

Même si vous ignoriez ce qui suit, n'en faites pas une maladie ! On écrit : des bronchopneumonies ou des broncho-pneumonies, des gastroentérites ou des gastro-entérites, des dérangements gastro-intestinaux, des oto-rhino-laryngologistes, mais des oto-rhinos.

A priori, vous devriez retenir facilement ceci : Les expressions d'origine latine demeurent invariables : des *a priori*, des *a posteriori*, des *statu quo*, des *modus vivendi*.

Répétez-le très fort : si, dans un mot composé, l'adjectif a la valeur d'un adverbe, il ne varie pas : un haut-parleur, des haut-parleurs.

Attention, dérapages fréquents ! *Presque* ne s'élide que dans le mot *presqu'île*. Savez-vous ce qu'est le laurier-tin ? (Et non le laurier-thym !) C'est une plante ornementale des régions méditerranéennes dont les feuilles ressemblent à celles du laurier-sauce. On écrit des lauriers-tins.

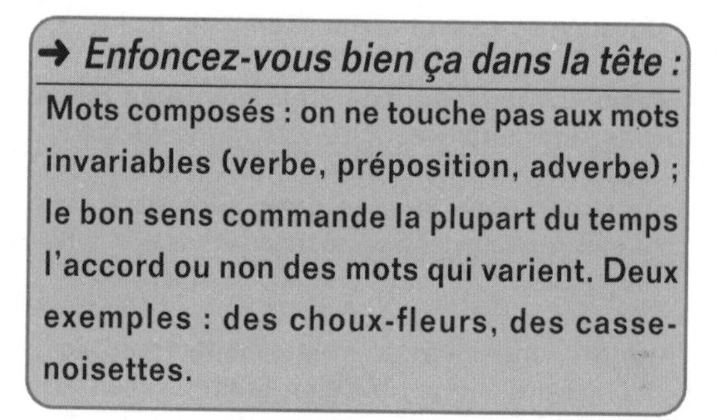

→ Enfoncez-vous bien ça dans la tête :

Mots composés : on ne touche pas aux mots invariables (verbe, préposition, adverbe) ; le bon sens commande la plupart du temps l'accord ou non des mots qui varient. Deux exemples : des choux-fleurs, des casse-noisettes.

Être et participe passé : mettez-vous en règle ! 4

« Facile, l'accord du participe passé avec l'auxiliaire être ! Alors, donc... Oui, l'accord du participe passé... Qu'est-ce que c'est, au fait, le participe passé ? Et puis, l'auxiliaire... Je ne sais plus exactement. Attendez... Si ce petit livre est bien fait, je devrais trouver leur définition en passant par la table des matières... Une seconde, je reviens... »

En vous attendant, voici la règle d'accord du participe passé avec l'auxiliaire *être*, l'une des plus simples qui soient :

Même un élève de CP (classe préparatoire) connaît cette règle : le participe passé conjugué avec l'auxiliaire *être* s'accorde en genre et en nombre avec le sujet du verbe.

Des exemples ? En voici, en voilà...

- Frida et Diego sont **arrivés** !

- Les étranges tableaux de Frida furent **exposés** à Paris.

- Les textes qui ont été **écrits** par Hubert-Félix n'ont rien à envier à ceux d'Arthur.

À l'attention du roi d'Ys : lorsque les pronoms personnels sujets *nous* ou *vous* désignent une seule personne, le participe passé s'accorde au singulier :
– Nous, roi d'Ys, **sommes persuadé** de la nécessité de traiter toute la cité à l'anti-mythe.

Familiarisez-vous avec la syllepse : lorsque le pronom indéfini *on* est sujet, le participe passé peut s'accorder au pluriel si ce pronom désigne plusieurs personnes (on appelle syllepse cet accord selon le sens) :
– On était **offertes** à tous les regards, affirmèrent en masse les miss).

Monsieur Céodé n'est pas toujours celui qu'on croit : le participe passé des verbes pronominaux est précédé de l'auxiliaire être ; il s'accorde non pas avec le sujet, mais avec le COD si celui-ci est placé avant le verbe :

– Elles se sont **appelées** (**appelées** s'accorde avec le COD « se » placé avant).

– Elles se sont **coupé** les ongles (**coupé** ne s'accorde pas, car le COD « ongles » est placé après, et « se » devient COS).

Attention, dérapages impersonnels !

Lorsque le verbe est impersonnel, le participe passé employé avec être ne s'accorde pas avec le sujet.

– Les mathématiciens ont dû interrompre leur réunion : il leur est arrivé des problèmes.

→ *Enfoncez-vous bien ça dans la tête :*

Le participe passé conjugué avec être : accord avec le sujet.

Avoir et participe passé : cessez de vous faire la tête !

« La langue française ! Quelle complication, avec ses règles stupides ! L'accord du participe passé, par exemple, complètement aberrant, illogique, et il faut l'apprendre sans y rien comprendre ! »
Bon ! C'est fini, oui ? Vous n'avez aucun scrupule à dénigrer celle qui naît au plus profond de vous-même, vibre en votre poitrine, joue sur vos cordes vocales la note unique et singulière qui fait tendre l'oreille à tous ceux qui vous aiment ?
Et cette règle de l'accord du participe passé, celle qui rend si précise l'expression, qui dissipe toute ambiguïté, tentez donc de la comprendre, de la mettre définitivement dans votre mémoire !
Ainsi, votre écrit et votre oral seront exempts de ces petits défauts d'allumage qui ralentissent le sens de la phrase, le font hésiter.
Ainsi, vous serez parfait ! (Mais si, mais si !)

Oyez, oyez ! Grognons patentés, atrabilaires, rouspéteurs de tout poil, mal lunés, grincheux, levés du pied gauche, mal vissés, ronchons, bougons, insomniaques, carencés d'amour, frustrés de tendresse, blessés du cœur, convalescents éternels d'idéals grippés et de la mauvaise humeur, médaillés d'enfer, mes frères (parfois...), et tous les autres aussi, oyez, oyez la règle d'accord du participe passé !
Le participe passé conjugué avec l'auxiliaire avoir s'accorde en genre et en nombre avec le COD si celui-ci est placé avant le verbe.

Des exemples ? En voici, en voilà...

- *La Passion selon Saint-Matthieu*, que nous avons **entendue** à Notre-Dame, a **traversé** presque quatre siècles sans hausser le ton.

- Les piliers des temples ne sont que de lents sabliers qu'ont **installés** la crainte et le désir d'éternité.

- Les camions que Josette et Renée ont **pilotés** transportaient du sable.

- Bonnie, la fille, et Clyde, le garçon, s'aiment. Les

boucles d'oreilles qu'il lui a **offertes** lui ont coûté cinquante balles de 9 mm.

Où l'on doit consulter Monsieur Céodé ! Le COD placé avant peut être un pronom relatif :

– Les livres **qu**'a lus Josette traitent tous de gros cubes (« **qu**' », mis pour livres, est COD de **a lus** : il répond à la question « Josette a lu quoi ? » ; on accorde donc **lus** au pluriel).

Où Monsieur Céodé donne son accord personnel ! Le COD peut être un pronom personnel :

– Ces livres, elle **les** a lus en conduisant (**les**, mis pour livres, est COD de **a lus** : il répond à la question « elle a lu quoi » ?).

Où Monsieur Céodé refuse son accord ! En général, le COD, lorsqu'il est un nom commun, est placé après, et l'accord ne se fait pas :

– Après le dernier mouvement, nous avons écouté le **silence** (**silence** est COD de **avons écouté**).

Où Monsieur Céodé arrive premier ! Le nom commun COD peut être placé avant le participe passé :

– Quels **passages** de la *Passion* avez-vous préférés ?

Où Monsieur Céodé se déguise en infinitif ! Le participe passé suivi d'un infinitif ne s'accorde pas si cet infinitif est son COD :

– Quels passages de la *Passion* avez-vous préféré **oublier** ? (**Oublier** est un infinitif COD de **avez-vous préféré**, **passages** est COD de l'infinitif **oublier**).

Où Monsieur Céodé redevient lui-même ! Le participe passé suivi d'un infinitif peut s'accorder avec le COD placé avant si ce COD est sujet de l'infinitif :

– Les camions **que** j'ai **vus** passer étaient conduits par Josette et Renée (**que**, pronom relatif, est COD de **vus** : il répond à la question « J'ai vu quoi ? » ; **les camions** est sujet de l'infinitif **passer** : « Qu'est-ce qui passait ? Les camions. »

Où Monsieur Céodé ne se laisse pas faire ! Le participe passé *fait* suivi d'un infinitif est toujours invariable :

– Renée s'est **fait** faire une permanente.

Où Monsieur Céodé, quand même, se laisse faire ! Le participe passé *fait* s'accorde lorsque ce qui le suit est un adjectif qualificatif :

Dans la préface du livre *Paris vu par les écrivains*, Benjamin Arranger a raison d'écrire : «... chaque fois que la question du choix **s'**est **faite** spécialement délicate... » (elle a fait elle-même délicate, « **s'** » (elle-même) est COD de **faite**, donc on accorde.

Où Monsieur Céodé visite le Louvre ! Le participe passé suivi d'un attribut du COD s'accorde avec le COD placé avant le verbe :

– Te rappelles-tu les statues de Jean Goujon au Louvre ? Nous **les** avons **crues** vivantes.

Où Monsieur Céodé fait des efforts ! Les participes passés *couru, coûté, pesé, régné, valu, vécu,* ne s'accordent avec le COD placé avant que s'ils sont employés au sens figuré :

– Les efforts que m'a **coûtés** la visite de l'exposition d'art abstrait sont d'autant plus insupportables que les vingt euros que m'a **coûté** l'entrée ne sont pas remboursables.

Où Monsieur Céodé lorgne une jeune pianiste ! Lorsque le COD est un pronom personnel représentant une proposition, le participe passé ne s'accorde pas :

– Cette jeune pianiste est beaucoup plus sportive que je ne **l'**aurais **cru**. Elle a gagné la course, je ne **l'**avais pas **prévu**.

Où Monsieur Céodé se libère du poids des « en » ! Lorsque le complément du verbe est le pronom personnel *en*, on le considère la plupart du temps comme un COI, et non pas comme un COD, car il est l'équivalent de « de cela » ; l'accord ne s'effectue donc pas :

– Des pommes ? Oui, j'**en** ai mangé, dit Ève à Adam, qui venait de disputer une partie de dés avec son supérieur.

Où Monsieur Céodé n'est pas admis ! Le participe passé des verbes intransitifs (qui ne peuvent avoir de COD) ou des verbes transitifs indirects (qui ne peuvent avoir qu'un complément d'objet indirect), ainsi que le participe passé des verbes impersonnels, demeurent invariables :

– Les jours se sont **succédé** avec une lenteur désespérante pendant ton absence.

Où Monsieur Céodé se justifie de sa relation privilégiée avec le participe passé !

Le participe passé s'accorde avec le COD placé avant l'auxiliaire *avoir* parce que, dans la phrase, c'est le COD qui est concerné par l'action :

→ Dans : « Les boucles d'oreilles qu'il lui a **offertes**… », les boucles d'oreilles sont concernées par l'action d'offrir, elles sont **offertes**.

Si on omet d'accorder en disant « Les boucles d'oreilles qu'il lui a offert… », on a l'impression que c'est celui dont il est question qui s'est offert en pendentif ! Ce serait un peu lourd…

Et pourquoi ne s'accorde-t-il pas lorsque le COD est placé après ? Eh bien, c'est le poète Clément Marot (1496-1544) qui nous donne la réponse, lui qui a énoncé la règle qui existait bien avant lui : en français, « Le terme qui va devant/Volontiers régit le suivant ! »

→ Enfoncez-vous bien ça dans la tête :

Le participe passé conjugué avec avoir s'accorde avec le COD si celui-ci est placé avant le verbe.

Verbes pronominaux : dites-nous tout !

6

« Les verbes pronominaux ? Je ne sais même pas ce que c'est, je n'y ai jamais rien compris... Alors, leur accord, vous comprenez... »
Mais alors qu'avez-vous fait à l'école ? Ou bien qu'y faites-vous ? Pendant ce temps, Bernard Pivot, qui truffe ses dictées d'accords du participe passé des verbes pronominaux, a de beaux jours devant lui ! Vous n'aimeriez pas devenir aussi fort et même plus fort que Bernard Pivot ? Vous préférez suivre les traces de Guy Degrenne ? Libre à vous ! On ne va pas en faire un plat en Inox !

Être, c'est avoir ! Les verbes pronominaux sont conjugués avec l'auxiliaire *être*. Pour accorder le participe passé d'un verbe pronominal, on substitue à l'auxiliaire *être* l'auxiliaire *avoir* (sans tenir compte du pronom personnel complément situé immédiatement avant). On procède ensuite à la recherche du COD. S'il est placé avant, on accorde ; s'il est placé après, on n'accorde pas ; et s'il n'y en a pas, inutile de s'obstiner à vouloir en trouver un !

Des exemples ? En voici, en voilà...

- Tristan et Juliette se sont **rencontrés** dans une bibliothèque.
- Tristes, abandonnés, Roméo et Iseut **se sont donné** la main pour retrouver leurs amours perdues.
- Tristan et Juliette **se sont raconté** leur histoire.
- Ils **se sont aperçus** que leur mémoire **s'était laissé** brouiller par un balcon en forêt, lesquels balcon et forêt ayant été chapardés par un certain Gracq.
- Forcément, sur les rayons de la bibliothèque, les pages des deux histoires adossées au *Balcon en forêt* de Gracq **s'étaient pénétrées** par la tranche.
- Tristan et Iseut, ainsi que Roméo et Juliette, qui ne **se sont** jamais **menti** ni **nui**, **se sont retrouvés**, **se sont** à nouveau **déclaré** leur flamme intacte, **se sont embrassés** avec chaleur, **se sont réchauffé** le cœur avec leurs yeux de braise.

- Enfin, tous les lecteurs **se sont** à nouveau **enflammés**.

Du calme ! Perçons le mystère de ces accords !
Deux héros se livrent :
– Tristan et Juliette **se sont rencontrés** dans une bibliothèque.
Tristan et Juliette ont rencontré qui ? « se », pronom personnel COD mis pour Tristan et Juliette, eux-mêmes. Le COD « se » est placé avant, donc, on accorde.

D'accord et pas d'accord :
– Tristes, abandonnés, Roméo et Iseut **se sont donné** la main pour retrouver leurs amours perdues.
→ *Roméo et Iseut ont donné quoi ? La main. « La main » est COD de **donné**. Ce COD est placé après, on n'accorde pas (le pronom personnel « se » est ici complément d'objet second).*

Confidences :
– Tristan et Juliette **se sont raconté** leur histoire.
→ *Tristan et Juliette ont raconté quoi ? leur histoire. « Leur histoire » est COD de **ont raconté**. Ce COD est placé après, on n'accorde pas*

(le pronom personnel « se » est ici complément d'objet second).

Ont-ils fait Gracq-Gracq ?

– Ils **se sont aperçus** que leur mémoire s'était **laissé** brouiller par un balcon en forêt, lesquels balcon et forêt ayant été chapardés par un certain Gracq.

→ *Dans ce cas, étant donné que le verbe s'apercevoir ne signifie pas que Tristan et Iseut se sont aperçus eux-mêmes, mais constitue une unité indivisible (s'apercevoir de quelque chose ne signifie pas apercevoir soi-même), le participe passé s'accorde alors avec le sujet.*

*Leur mémoire **s'était laissé brouiller** : elle avait laissé quoi ? brouiller. Cet infinitif est COD de **laissé**, donc on n'accorde pas puisqu'il est placé après. Le pronom personnel « se » est COD de **brouiller**.*

Un balcon en forêt **est un roman de Julien Gracq (né en 1910)**. Forcément, sur les rayons de la bibliothèque, les pages des deux histoires adossées au *Balcon en forêt* de Gracq **s'étaient pénétrées** par la tranche.

Les pages avaient pénétré quoi ? « s' », pronom personnel COD, mis pour les pages, féminin pluriel ; on accorde donc le participe passé.

Ça chauffe ! Tristan et Iseut, ainsi que Roméo et Juliette, qui ne **se sont** jamais **menti** ni **nui**, **se sont retrouvés**, **se sont** à nouveau **déclaré** leur flamme intacte, **se sont embrassés** avec chaleur, **se sont réchauffé** le cœur avec leurs yeux de braise.

Pour accorder correctement les participes passés, il suffit de poser la question « qui ? » ou « quoi ? » afin de trouver le COD. Roméo et Juliette n'ont jamais menti à qui ? Attention : vous venez de poser la question « à qui » ? Vous allez donc trouver non pas un COD, mais un COI. Ils n'ont jamais menti à « se », eux-mêmes. Le pronom personnel « se » situé avant est un COI, et non pas un COD, voilà pourquoi le participe passé ***menti*** *ne s'accorde pas. Même raisonnement pour le participe passé nui.*

En revanche, ils ont retrouvé qui ? ils ont retrouvé « se », pronom personnel répondant à la question directe (sans « à » ou « de ») « qui » ? Il s'agit donc d'un COD. Donc, on accorde : ils se sont ***retrouvés****.*

Ils ont déclaré quoi ? ils ont déclaré leur flamme,

le mot « flamme » est COD, et il est placé après, donc pas d'accord ! Le pronom personnel « se » est ici COS car il répond à la question « à qui » ? Le verbe auquel il se rattache possède déjà un COD, que nous venons de trouver.

Ils se sont ***embrassés*** *avec chaleur : ils ont embrassé qui ? « se », COD placé avant, donc accord.*

Ils se sont ***réchauffé*** *le cœur : ils ont réchauffé quoi ? le cœur, COD placé après, donc pas d'accord.*

Vous brûlez ! Enfin, tous les lecteurs **se sont** à nouveau **enflammés**.
Les lecteurs ont enflammé qui ? « se », COD placé avant et mis pour les lecteurs, donc on accorde : ***enflammés****.*

Jamais sans mon pronom ! Il existe des verbes pronominaux qui ne se conjuguent qu'à la voix pronominale. On les appelle des verbes essentiellement pronominaux : *se souvenir*, par exemple, ne peut être conjugué sans être accompagné de son pronom personnel complément (on ne souvient pas quelque chose, on *se* souvient de quelque chose).

L'accord du participe passé de ces verbes pronominaux proprement dits représente un cas particulier ; on l'accorde avec le sujet, tout simplement :

– Tristan et Iseut **se sont enfuis**. Roméo Montaigu et Juliette Capulet, les amants de Vérone, **se sont suicidés**.

Voici une liste (presque) complète de ces verbes pronominaux proprement dits ! *S'absenter, s'abstenir, s'accouder, s'accroupir, s'adonner, s'agenouiller, se blottir, se dédire, se démener, se désister, s'ébattre, s'ébrouer, s'écrier, s'écrouler, s'efforcer, s'élancer, s'emparer, s'empresser, s'enfuir, s'enquérir, s'entraider, s'envoler, s'éprendre, s'esclaffer, s'évader, s'évanouir, s'évertuer, s'exclamer, s'extasier, se formaliser, se gargariser, se gendarmer, s'immiscer, s'ingénier, s'insurger, se méfier, se méprendre, s'obstiner, se pâmer, se prosterner, se raviser, se rebeller, se rebiffer, se récrier, se recroqueviller, se réfugier, se renfrogner, se repentir, se souvenir, se suicider, se targuer.*

Les titres de Roger : le verbe *s'arroger* est le seul parmi les pronominaux proprement dits à ne pas suivre la règle. On applique la règle de l'accord du participe passé des verbes pronominaux ordinaires.
Ainsi, dans : « Les titres qu'ils se sont arrogés appartenaient à Roger », le pronom personnel « se » est considéré comme COD, et l'on accorde.
Mais dans : « Ils se sont arrogé des titres de Roger, « titres » étant considéré comme COD placé après, on n'accorde pas.

Monsieur Céodé fait encore des siennes ! Certains verbes pronominaux (comme *s'apercevoir* de quelque chose ; voir commentaire de l'exemple, remarque 4) ne sont pas réfléchis, c'est-à-dire que le pronom personnel « se » ne peut être COD (on ne s'aperçoit pas soi-même lorsqu'on s'aperçoit de quelque chose). Le participe passé de ces verbes qui forment au point de vue du sens une unité indivisible avec leur pronom complément s'accorde avec le sujet. En voici la liste (presque) complète :

S'apercevoir de, s'acharner, s'approprier, s'attacher à, s'attaquer, s'attendre à, s'aviser, se douter, s'échapper, s'ennuyer, s'imaginer, se jouer, se plaindre, se prévaloir, se refuser à, se résoudre à, se ressentir de, s'en retourner, se saisir de, se servir de, se taire.

Ainsi, on écrira : Juliette et Iseut **s'étant échappées**, Roméo et Tristan **se sont imaginés** des choses, mais ils ne **se sont doutés de rien**. Parties en boîte, Juliette et Iseut **se sont attaquées** au rock, mais, se prenant les pieds dans leurs longues robes à vertugadin, et s'affalant sans cesse, elles **se sont résolues** à rentrer : elles **s'en sont retournées** et elles **se sont tues**.

Ne changez rien ! Le participe passé des verbes qui ne peuvent avoir de COD demeure évidemment invariable :

Roméo et Juliette **se sont parlé**, **se sont plu**, **se sont convenu**. Tristan et Iseut **se sont souri**, **se sont succédé** à la cour du roi Marc. Plus tard, après l'exil de Tristan, au retour du bateau ramenant la bien-aimée, malgré la voile blanche et Iseut à la coque, les yeux brouillés, Tristan est mort. Iseut la blonde ne l'a pas supporté. Ils **ne se sont pas survécu**. Ils **se sont ressemblé** au point qu'un rosier est né de leurs deux tombes.

Invariabilité permanente : le participe passé des verbes *faire* et *se faire* est invariable devant un infinitif :
– L'épée que **s'est fait remettre** le roi Marc appartient à Tristan.
– Roméo et Juliette **se sont fait faire** une permanente.

Elle s'est laissé faire : le participe passé des verbes pronominaux suivis d'un infinitif s'accorde selon le sens qu'on leur donne :

– Iseut **s'est laissé séduire** par Tristan.
→ *Iseut a laissé quoi ? elle a laissé séduire, verbe à l'infinitif et COD de* ***laissé*** *; il est placé après, donc on n'accorde pas. Le pronom personnel « s' » est COD de* ***séduire*** *: elle a laissé séduire elle-même, elle s'est laissé séduire.*

– Plus tard, elle **s'est laissée mourir** de chagrin.
→ *Iseut a laissé qui ? elle a laissé « se », c'est-à-dire elle-même, mourir (c'est elle-même qui accomplit l'action de mourir). Le pronom per-*

sonnel « se » est COD de ***laissé****, donc on accorde : elle s'est laissée mourir.*

Attention, risque d'invariabilité !

Le participe passé des verbes impersonnels (ou bien de ceux qui sont employés impersonnellement) demeure invariable !

- Les grandes chaleurs qu'il y a **eu** cet été ont desséché la pelouse de Juliette et Roméo.

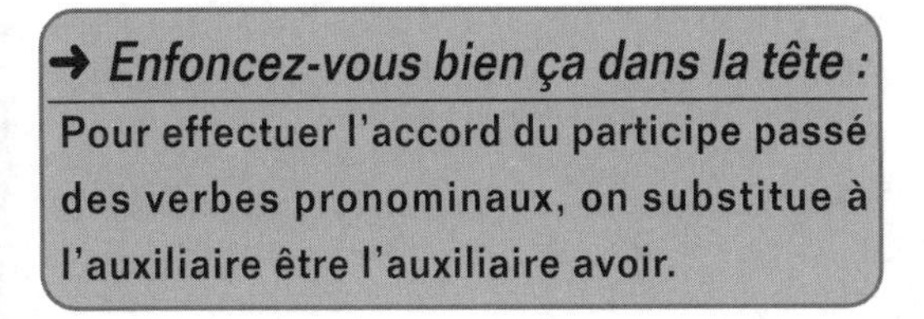

→ *Enfoncez-vous bien ça dans la tête :*

Pour effectuer l'accord du participe passé des verbes pronominaux, on substitue à l'auxiliaire être l'auxiliaire avoir.

7 De beaux attributs !

Simple, l'attribut, simple ! L'attribut est simple à comprendre ! La preuve ? Dans la phrase qui précède, « simple » est attribut d'« attribut ». Compris ? Alors, vite, la suite !

Attribuer, c'est donner ! L'attribut est un mot qui, dans la phrase, apporte une précision concernant un autre mot. Il en est séparé par un verbe d'état. Le mot attribut définit une fonction à l'intérieur de la phrase, c'est-à-dire le rôle d'un mot par rapport à un autre mot.

Des exemples ? En voici, en voilà...

- Shakira et Édith Piaf sont deux **chanteuses**.
- Shakira fait un mètre soixante-cinq et pèse cinquante kilos. Beaucoup pensent qu'elle est **belle**.
- Édith Piaf faisait à peine un mètre cinquante et pesait quarante kilos. Tout le monde la trouvait **émouvante**.

• Qui saura dire laquelle des deux est une **artiste** de taille, et l'autre une **artiste** de poids ?

Observons le fonctionnement de ces exemples !

Bel attribut : l'attribut peut être un adjectif qualificatif. Dans la phrase « Elle est **belle** », **belle** est attribut du sujet « elle ».

Oui pour un nom ! L'attribut peut être un nom. Ici, le nom **chanteuses** est attribut des sujets Shakira et Édith Piaf :
– Shakira et Edith Piaf sont deux **chanteuses**.

Revoilà Monsieur Céodé ! L'attribut peut qualifier le COD dans la phrase. Dans ce cas, il n'est pas introduit par un verbe d'état, mais par un verbe de jugement : *trouver, juger, considérer, élire, etc.*
– Tout le monde la trouvait **émouvante** :
➜ **émouvante** est attribut du pronom personnel COD « la », mis pour Édith Piaf.

Honnête proposition : l'attribut peut être une proposition conjonctive introduite par la conjonction de subordination *que* :

– La vérité est **que toutes les deux ont des qualités.**

➜ Toute la proposition est attribut du sujet « vérité ».

Interrogatoire : l'attribut peut être un pronom interrogatif :

– ***Qui*** *était Edith Piaf ?*

➜ Le pronom interrogatif *qui* est attribut du sujet inversé « Édith Piaf ».

Parfois relatif : l'attribut peut être un pronom relatif :

– Folle **que** tu es ! (Musset)

➜ Le pronom relatif *que* est attribut du sujet « tu ».

Des sous-entendus : le verbe qui relie l'attribut au sujet est parfois sous-entendu :

– Sur la branche de mon arbre, la fauvette est méfiante, et mon geai, **insouciant**.

➜ Entre « insouciant » et « geai », le verbe *être* est sous-entendu. « Insouciant » est attribut du sujet « geai ».

Il n'a plus d'infinis tifs : l'attribut peut être un verbe à l'infinitif :

– « L'important est d'**aimer** », chante Obispo ; « aimer » est attribut de « l'important ».

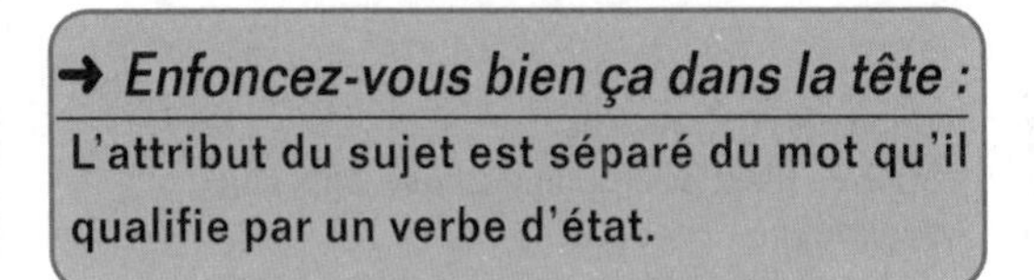

→ *Enfoncez-vous bien ça dans la tête :*

L'attribut du sujet est séparé du mot qu'il qualifie par un verbe d'état.

8 L'apposition, l'apostrophe

– Mais ce n'est pas la même chose, apposition et apostrophe !
– Je n'ai jamais dit que c'était la même chose !
– Alors, pourquoi les mettez-vous ensemble ?
– Parce qu'il y a quand même une ressemblance !
– Ah ? laquelle ?
– Tiens, vous vous intéressez à la grammaire, vous, maintenant ?
– Oui, vous l'expliquez tellement bien...
– Flagorneur, va !
– Ah ? Ça se voit ?

Appositio, appositionis ! – Quoi ? du latin ? – Oui, du latin ! – C'est vraiment pour faire savant ! – Non, c'est surtout pour vous faire comprendre que le mot apposition vient du latin *appositio*, qui désigne l'action d'ajouter, l'addition. L'apposition est donc une addition, un ajout : on ajoute un mot à un autre pour mieux le préciser. Et ce mot est en général un nom commun.

Des exemples, en voici, en voilà...

- La ville d'Amsterdam compte plus de mille ponts.
  Le nom « ville » est mis en apposition à « Amsterdam ».

- Le philosophe Baruch Spinoza (1632-1677) était polisseur de verres de lunettes à Amsterdam. *Le nom « philosophe » est mis en apposition à « Baruch Spinoza ».*

- Baruch Spinoza, philosophe du XVIIe siècle, a construit plus de mille ponts entre la sagesse et l'homme.
  Le nom « philosophe » est mis en apposition à « Baruch Spinoza ».

- À Amsterdam, la Venise du Nord, vécut aussi René Descartes (1596-1650) à partir de 1629. *L'expression « la Venise du Nord » est mise en apposition à « Amsterdam ».*

- Tranquilles et silencieuses, les rues d'Amsterdam, au XVIIe siècle, ont sans doute conduit les premiers pas de l'un, les pas sûrs de l'autre, vers une rencontre fortuite, indifférente, perdue dans le hasard du temps.

Les adjectifs « tranquilles et silencieuses » sont des épithètes détachées de « rues », mais on peut aussi les appeler des appositions.

Pas une nuance, une différence ! Dans « la ville d'Amsterdam », le nom « ville » est apposé à « Amsterdam » parce qu'on peut mettre le signe égal entre « ville » et « Amsterdam ».
Dans « les rues d'Amsterdam », on ne peut pas mettre le signe égal entre « rues » et « Amsterdam » ; « Amsterdam » devient alors complément du nom « rues ».

Et sans la préposition ? L'apposition existe sans l'emploi de la préposition :
– L'ingénieur Fulgence Bienvenüe est le concepteur du métro parisien.
➜ « Ingénieur » est en apposition à « Fulgence Bienvenüe » (on peut mettre le signe égal entre « ingénieur » et « Fulgence Bienvenüe »). Autres exemples : une femme pilote (« femme » est en apposition à « pilote »), un hippopotame femelle (« femelle » est en apposition à « hippopotame »),

un pilote femme (« femme » est en apposition à « pilote »).

Après l'apposition, quelques mots sur l'apostrophe...

– Fulgence, cesse de creuser des galeries ! Viens par ici !

➜ Dans cette injonction paternelle ou maternelle qu'on imagine avoir entendue dans les environs de Saint-Brieuc, au temps où le jeune Fulgence Bienvenüe, l'inventeur du métro, s'amusait en barboteuse, on remarque que le prénom Fulgence sert à interpeller celui dont il est question. On le hèle, on l'appelle : Fulgence ! C'est cela une apostrophe, le nom propre Fulgence est mis en apostrophe.

Souvent, les poètes, qui aiment s'adresser aux choses, utilisent l'apostrophe. Alphonse de Lamartine, par exemple, s'adresse au temps : *ô temps, suspends ton vol !* (Et non *OTAN*, évidemment...)

Monsieur Céodé !

« Accorder les participes passés ? Moi, je veux bien... Mais pour y parvenir, il faut toujours chercher le COD, et moi, le COD, il y a longtemps que j'ai oublié ce que c'est ! C'était au programme de sixième et de cinquième, mais je n'y comprenais rien. Et quand je demandais à ma prof de m'expliquer de nouveau, elle le faisait avec les mêmes mots, mais en parlant beaucoup plus fort... En quatrième, le nouveau prof a dit : "Le COD, je n'y reviens pas, vous avez appris ça en sixième et en cinquième ! On ne va pas faire le réveillon avec ça !" En troisième, on n'en parlait plus, de ce COD, ça faisait ringard... Et maintenant, je suis bien avancé ! Je ne peux même pas demander d'explication à mes enfants, qui n'y comprennent pas grand-chose non plus ! »

Allons, pas de panique ! Vous allez lire ensemble, parents et enfants (appelez aussi les grands-parents s'ils sont là), cette règle que vous avez pourtant apprise :

Le COD indique ce sur quoi porte l'action exprimée par le verbe.

Il répond à la question « qui ? » ou « quoi ? » posée au verbe accompagné de son sujet.

Attention : le COD ne répond qu'à une question posée au verbe. Si vous posez une question à un nom, la réponse s'appellera complément du nom. Si vous la posez à un adjectif, la réponse sera : complément de l'adjectif. C'est tout simple...

– Le directeur de l'entreprise de transports amoureux est heureux de ses propres résultats.

→ le directeur de quoi ? de l'entreprise : le mot « entreprise » est complément du nom « directeur » ; « transports » est complément du nom « entreprise » ; « résultats » est complément de l'adjectif « heureux ».

On abrège complément d'objet direct en COD (céodé).

Des exemples ? En voici, en voilà...

- Jacques Dutronc connaît **la fille du Père Noël** (connaît qui ? **La fille du Père Noël** : COD de « connaît »).

- Françoise Hardy a épousé **Jacques Dutronc** (a épousé qui ? **Jacques Dutronc** : COD de « a épousé »).

- Par désespoir d'amour, la fille du Père Noël s'est mise à fumer **d'énormes cigares** (fumer quoi ? **D'énormes cigares** : COD de « fumer »).

Monsieur Céodé, qui êtes-vous ?
Le COD peut être :
- un nom :
  Elle fume des **cigares ;**
- un pronom :
  Les cigares **qu'**elle fume,
  les cigares, elle **les** fume ;
- une proposition :
  On raconte **qu'elle fume beaucoup ;**
- un infinitif :
  Elle adore **fumer**.

Monsieur Céodé, êtes-vous capable de commencer une phrase ? Oui ! On peut trouver le COD en tête de phrase :
– **Que** fumez-vous ?

Monsieur Céodé, dans le paragraphe ci-dessus intitulé « Monsieur Céodé, qui êtes-vous ? », pourriez-vous définir davantage votre identité, les mots que vous avez pris en charge, les transformant en COD ?
Dans le paragraphe intitulé « Monsieur Céodé, qui êtes-vous ? »,
« cigares » est COD de « fume » ;
« qu' », pronom relatif, est COD de « fume » ;

« les », pronom personnel, est COD de « fume » ; « qu'elle fume beaucoup », proposition subordonnée conjonctive, est COD de « raconte ». Dans « Que fumez-vous ? », « que », pronom interrogatif, est COD de « fumez ».

Monsieur Céodé, quelle place occupez-vous exactement ?
Le COD se place en général après le verbe ; mais entre le verbe et le COD, on peut trouver d'autres compléments :
Le chanteur généreux offre à chacun de ses quarante-huit chats, ainsi qu'à son épouse, à ses thuriféraires et même à ses contempteurs, des **chansons** qui laissent sans voix.
Le nom « chansons » est COD de « offre » (le chanteur offre quoi ? Des **chansons**. « chats », « épouse », « thuriféraires » et « contempteurs » sont COS de « offre ».

(Cessez donc de dire qu'il y a des mots incompréhensibles dans ce petit livre ! Ce n'est pas parce que vous ne connaissez pas le sens de « thuriféraire » ou de « contempteur » qu'il faut baisser les bras ! Allez, hop ! Debout ! Courez prendre dans votre bibliothèque ou sur le meuble de la salle

à manger le dictionnaire, ouvrez-le, tournez les pages, cherchez ! « La culture, ça se conquiert », a dit Malraux. Qui est ce Malraux ? Page « Noms propres », lettre « M »... Et que ça saute !)

Attention, risques de dérapage !

Il ne faut pas confondre le COD et l'attribut du sujet. En effet, le COD complète uniquement un verbe d'action ; c'est un objet différent du sujet. L'attribut est introduit par un verbe d'état *(être, paraître, etc.)* ; il appartient au sujet, et en donne une qualité, un élément descriptif :

– Le geai est un **oiseau**, le jais est une **variété** de lignite.

➜ « Oiseau » est attribut de « geai », « variété de lignite » est attribut de « jais ».

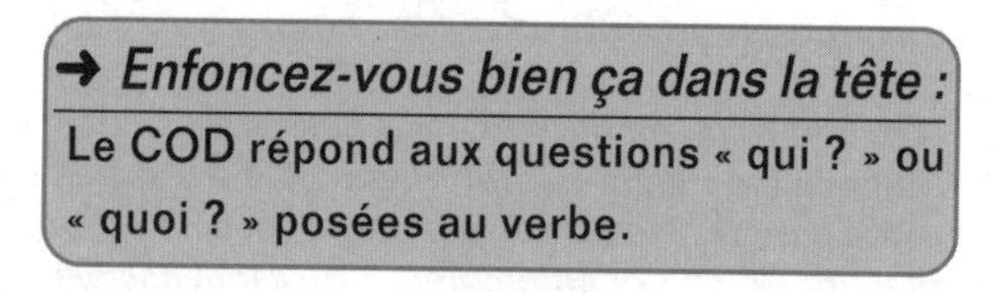

➜ *Enfoncez-vous bien ça dans la tête :*

Le COD répond aux questions « qui ? » ou « quoi ? » posées au verbe.

Monsieur COI !

10

– Attendez, laissez-moi faire ! Complément, oui, je vois : ça complète un autre mot. Complément d'objet : ça complète un verbe. COI : ça complète un verbe de façon indirecte, c'est-à-dire à l'aide d'une préposition (à, de, etc.).
– Alors, vous voyez bien : quand vous le voulez, rien ne vous résiste !

Ne restez pas coi devant le COI ! Le COI désigne la personne ou la chose sur laquelle porte l'action exprimée par le verbe. Il répond aux questions « à qui ? », « à quoi ? », « de qui ? » ou « de quoi ? » posées au verbe accompagné de son sujet. On l'abrège en COI.

Des exemples ? En voici, en voilà...

- Dans *Le Journal du Dimanche*, Bernard Pivot parle du dernier **livre** de Daniel Pennac. *Bernard Pivot parle de quoi ? Du* ***livre****. « Livre » est COI de « parle ».*

- Le critique n'en pense pas beaucoup de bien. Les livres précédents, **dont** il se souvient, avaient davantage répondu à ses horizons d'attente. *Il se souvient de quoi ? De* ***dont*** *mis pour livres, le pronom relatif « dont » est COI de « se souvient ».*

- Mais chacun achète ce qu'il veut ; ce n'est pas parce que Bernard Pivot s'occupe de la **dictée** des Dicos d'or qu'il est un dictateur. *Il s'occupe de quoi ? De la* ***dictée ;*** *le nom « dictée » est COI de « s'occupe ».*

- Et Daniel Pennac peut se rendormir tranquillement dans son hamac après avoir lu cette critique qui **lui** a peut-être déplu, peut-être pas. *Cette critique a déplu à qui ? À* ***lui****, pronom personnel mis pour Daniel Pennac ; le pronom personnel « lui » est COI de « a déplu ».*

COI, c'est quoi ? Ce peut être :
- un nom :
  L'herbe sèche parle **de l'été ;**
- un pronom :
  L'été me parle **d'elle ;**
- une proposition :

Je veille **à ce que l'été passe vite** ;

- un verbe à l'infinitif :

Mais l'été s'obstine et continue **de brûler** jusqu'au cœur de l'hiver.

Le COI et le Houellebecquois : un verbe peut avoir plusieurs COI :

– Les livres de Michel Houellebecq traitent **de la morosité** de l'époque, **de l'amertume** des êtres, **du désespoir** galopant, d'un **sentiment** de défaite permanente et de **pratiques** sexuelles effrénées. Il est effarant de penser que, dans cent ans, certains croiront nous reconnaître tous dans ce prisme déformant qui lui est personnel.

➜ ***Mososité, amertume, désespoir, sentiment, pratiques*** *sont COI de « traitent ».*

L'éternel second : lorsque le COI complète un verbe possédant déjà un COD, on appelle ce COI un COS :

– Après que le conducteur du train a oublié de s'arrêter à la gare, le contrôleur du train fournit des explications **aux voyageurs**.

➜ *Le contrôleur du train fournit quoi ? Des explications : « explications » est COD de « fournit ».*

Le conducteur du train fournit à qui ? ***Aux voyageurs*** *: « voyageurs » est COI de « fournit », mais comme le verbe « fournit » possède un COD, on appelle le COI un COS (complément d'objet second).*

Familles nombreuses : rien n'empêche que, pour un même verbe, on ait plusieurs COD et plusieurs COS :

– Le compositeur Luciano Berio a donné au chant, à l'opéra, à la musique en général, sa sensibilité, son génie et sa fragilité.

→ *Les noms « chant », « opéra » et « musique » sont COS de « a donné » (ces noms répondent à la question « Luciano Berio a donné à quoi ? ») ; les noms « sensibilité », « génie » et « fragilité » sont COD de « a donné » (ces noms répondent à la question « Luciano Berio a donné quoi ? »).*

Attention, risque de propos indigestes !

Le verbe *déjeuner* est intransitif : on ne le construit ni avec un COD ni avec un COI. Il peut être suivi d'un complément circonstanciel (CC) de moyen introduit par « de », ou d'accompagnement

introduit par « avec ».
Cela signifie qu'il est fautif de dire : « Que déjeunes-tu, ce midi ? » ou « Qu'as-tu déjeuné, ce matin ? » ; en revanche, il est correct de formuler ainsi l'interrogation : « De quoi déjeunes-tu, ce midi ? », « De quoi as-tu déjeuné, ce matin ? »
Est-ce parce que le verbe *manger* fait un peu brut et sauvage que certains croient bon de le remplacer par *déjeuner* sans souci de la construction ? « Que déjeunes-tu ? » apparaît alors situé entre le faux snob et le faux pédant, où se situe l'ignorant qui s'ignore…
Bon appétit quand même !

→ *Enfoncez-vous bien ça dans la tête :*

Le COI répond aux questions : « de qui ? », « de quoi ? », « à qui ? », « à quoi ? » posées au verbe.

11 Les circonstances du drame

– Un drame ? Il y a eu un drame ?
– Une action, disons, une action !
– Mais vous écrivez « Les circonstances du drame » !
– Et alors ? Oui, le mot « drame » vient du grec !
– Pédant !
– « Pédant » vient du grec *paideuein*, qui signifie « éduquer » ; le pédant, c'était le maître d'école...
– Et ça a changé ?
– Vous cherchez à être désagréable ?
– C'est à vous de répondre... Donc, « drame », en grec ?
– « Drame » vient de drama, qui signifie « action »...
– Silence, on tourne !

Racontez-nous en quelles circonstances... Indispensables compléments circonstanciels ! Ce sont ces mots qui précisent quand, comment, où, pourquoi, de quelle manière, par quel moyen l'action s'est déroulée.

Des exemples ? En voici, en voilà...

- **Ce matin**, je me suis levé **à cinq heures**.
  Je me suis levé quand ? ***Ce matin*** *: CC de temps de « je me suis levé ». À quelle heure ?* ***À cinq heures*** *: CC de temps de « je me suis levé ».*

- **Dans mon bureau**, je me suis installé **derrière la baie vitrée ouverte sur les ténèbres**.

  Dans mon bureau *: CC de lieu de « je me suis installé » (je me suis installé où ?).* ***Derrière la baie vitrée...*** *: CC de lieu de « je me suis installé ».*

- **Afin de présenter les CC**, j'ai cherché des exemples.
  Afin de présenter les CC *: CC de but de « j'ai cherché » (j'ai cherché dans quel but ?).*

- **Malgré mes tentatives**, je n'ai rien trouvé d'original.

- ***Malgré mes tentatives*** *: CC d'opposition de « je n'ai rien trouvé ».*

- Et, **comme un sot**, je ne m'aperçois pas qu'**en faisant part de mes réflexions**, je les ai écrits, **finalement**, ces exemples !
  Trois CC dans cette phrase : ***comme un sot*** *(comparaison),* ***en faisant part de mes réflexions*** *(manière),* ***finalement*** *(manière).*

Les habits de circonstances : le CC peut être un nom commun (ou un groupe nominal prépositionnel, c'est-à-dire un groupe nominal précédé d'une préposition), un pronom, un verbe à l'infinitif, un adverbe, une proposition subordonnée.

Les cinq *W* ! *Who ? What ? When ? Where ? Why ?* Qui ? Quoi ? Quand ? Où ? Pourquoi ? Au début de leurs dépêches de presse, les journalistes américains s'assurent toujours qu'ils ont répondu à ces cinq W. Les deux premiers précisent de qui et de quoi il s'agit ; les trois autres répondent aux trois circonstances essentielles : le temps, le lieu, la cause.

Prenons notre temps ! Le CC de temps répond à la question « quand ? », « à quel moment ? », posée au verbe accompagné de son sujet :
– **Demain**, je pars.

→ *L'adverbe de temps **demain** est CC de temps de « je pars ».*

En plein dans les buts ! Le CC de but répond à la question « dans quel but ? » posée au verbe accompagné de son sujet :

– Demain, je pars pour **oublier**.

→ *Le verbe à l'infinitif **oublier** est CC de but de « je pars ».*

Et pour cause ! Le CC de cause répond à la question « pourquoi ? », « Pour quelle raison ? » Il est introduit par les prépositions ou locutions prépositives *pour, faute de, à cause de*, ou par les conjonctions de subordination *parce que, puisque, etc.* :

– À cause de mon **inefficacité** de ce matin, demain, je pars pour oublier.

→ *Le nom **inefficacité** est CC de cause de « je pars ».*

Mesurons les conséquences ! Le CC de conséquence est introduit par la locution prépositive *au point de*, par les adverbes de liaison *en conséquence, dès lors, c'est pourquoi, aussi, ainsi, par conséquent*, et par les conjonctions de

subordination *au point que, si… que, tellement… que, trop… pour que, etc.* :
– Mon départ est tellement efficace **que j'ai déjà oublié** pourquoi je suis parti.

*La proposition subordonnée conjonctive **que j'ai déjà oublié** est CC de conséquence de la proposition principale. Et la proposition « pourquoi je suis parti » ? Eh bien, c'est une interrogative indirecte, COD de « j'ai oublié » ; rien à voir avec les circonstances, mais ainsi, vous saurez tout !*

Être dans l'opposition : le CC d'opposition (ou de concession) est introduit par les prépositions ou locutions prépositives *malgré, en dépit de, etc.* ou par les conjonctions de subordination *quoique, bien que, même si, quand bien même, etc.* :
– **Quoique je sois parti**, je ne suis pas plus inspiré.
→ *La proposition conjonctive **quoique je sois parti** est CC de concession de la principale « je ne suis pas plus inspiré ».*

Dans quelles conditions ? Le CC de condition est

introduit par les prépositions ou locutions prépositives *sans*, *en cas de*, *à condition de*, *à moins de*, ou par les conjonctions de subordination *si*, *au cas où*, *à condition que*, *en admettant que* :

– C'est bien fait ! **À moins d'être stupide**, on ne peut croire que fuir inspire.

→ ***À moins d'être stupide*** *est CC de condition de « croire ».*

Comparons ce qui est comparable ! Le CC de comparaison est introduit par les locutions prépositives *contrairement à*, *à l'égal de*, *à la manière de*, *par rapport à*, ou par les conjonctions de subordination *plus… que*, *autant… que*, *moins… que*, *etc.* :

– L'ardoise fine me plaît plus que le **marbre** dur.

→ ***Marbre*** *est CC de comparaison de « plaît ».*

En tout lieu : le CC de lieu répond à la question « où ? », « dans quel lieu ? » De nombreuses prépositions peuvent l'introduire : *dans*, *sur*, *en*, *près de*, *chez*, *etc.* Le pronom interrogatif « où » peut être CC de lieu :

– Je quitte le pays de l'ardoise fine, et je pars vers **celui** du marbre dur.

→ *Le pronom démonstratif* ***celui*** *est CC de lieu de « je pars ».*

De toute manière : le CC de manière répond à la question « de quelle façon ? », « de quelle manière ? », « comment ? » Les prépositions ou locutions prépositives suivantes peuvent l'introduire : *à, avec, dans, de, en, sans, selon, etc.* L'emploi de la préposition n'est, cependant, pas nécessaire :

– Cette jeune fille dort **bras nus**.

→ ***Bras nus*** *est CC de manière de « dort ».*

Les petits et les grands moyens : le CC de moyen répond à la question « par quel moyen ? », « au moyen de quoi ? » Il est introduit par les prépositions ou locutions prépositives *à, de, avec, à l'aide de, au moyen de, en, etc.* :

– Cette jeune fille aux bras nus se couvre, la nuit, d'un **édredon** plein de plumes.

→ ***Édredon****, qui répond à la question « au moyen de quoi ? » est CC de moyen de « se couvre ».*

De la mesure ! Le CC de quantité indique le prix, le poids et la mesure. Il répond à la question « combien ? »

– Cet édredon plein de plumes légères lui a coûté, au siècle dernier, **cinq cents francs lourds**.
→ ***Cinq cents francs lourds*** *est CC de prix de « a coûté ».*

En bonne compagnie : le CC d'accompagnement répond à la question « en compagnie de qui ? » ou bien « en l'absence de qui ? » Il est introduit par les prépositions ou locutions prépositives *avec, en compagnie de, sans, etc.*
– Je voudrais partir au pays du marbre dur avec **la jeune fille** qui dort les bras nus.
→ ***La jeune fille*** *est CC d'accompagnement de « partir ».*

Reliefs : on peut rencontrer des CC de restriction :
– **Sauf erreur de ma part**, la jeune fille est déjà retenue pour un autre voyage ;
d'origine :
– Cette jeune fille est issue **d'une famille d'ardoisiers ;**
de changement :
– Le têtard se transforme **en grenouille**.

12 D'honnêtes propositions : les relatives

– Relative ? C'est un chapitre sur Einstein ? La relativité ?
– Vous le faites exprès ?
– Oui !
– Ça ne vous intéresse pas, les relatives ?
– Non !
– Tant pis ! On y va quand même !

Une proposition honnête : la proposition subordonnée relative apporte un renseignement supplémentaire concernant son antécédent, qui peut être un nom ou un pronom. Elle est introduite par un pronom relatif, comporte un sujet, un verbe, et, la plupart du temps, un ou plusieurs compléments.

Des exemples ? En voici, en voilà...

- Le festival **qui s'est déroulé dans une grande**

ville océane a rassemblé beaucoup de bagadou.
Qui s'est déroulé dans une grande ville océane *est une proposition subordonnée relative, introduite par le pronom relatif « qui », complément de l'antécédent « festival ».*

- Le mot « bagadou » est le pluriel de « bagad », formation **qui rassemble des joueurs de biniou et de bombarde**.
La proposition relative en caractères gras est complément de l'antécédent « formation ».

- Sur leur parcours, on a pu entendre une devinette **que certains ont jugée amusante, d'autres, désobligeante**.
Que certains ont jugée amusante, d'autres, désobligeante *est une relative qui complète le nom « devinette ».*

- Qu'est-ce qu'un gentleman ? C'est quelqu'un **qui sait jouer de la bombarde**, mais **qui s'abstient de le faire**.
Qui sait jouer de la bombarde*, et* ***qui s'abstient de le faire*** *sont deux relatives, compléments du pronom indéfini « quelqu'un ».*

Raccourcis : « proposition subordonnée relative » est le nom entier de l'ensemble de mots qui complète l'antécédent. On abrège parfois (comme ci-dessus), ce qui donne : une subordonnée relative, ou, plus court encore : une relative.

Sujet de réflexion : la plupart du temps, la relative complète un nom ou un pronom, mais elle peut être sujet :

– **Qui m'aime** me suive !

➜ *La relative **qui m'aime** est sujet de « suive ».*

Revoilà Monsieur Céodé ! Parfois, la relative est COD : Snoopy a écrit sur sa niche :

– « J'aime **qui m'aime** ! »

➜ *La relative **qui m'aime** est COD de « J'aime ».*

Mettons-les d'accord ! Les pronoms relatifs composés doivent être scrupuleusement accordés avec l'antécédent qu'ils représentent :

– La devinette **à laquelle** vous faites allusion, les sous-entendus **auxquels** on ne peut s'empêcher de penser ne vont pas ravir les tabarders.

➜ *Le relatif composé **à laquelle** s'accorde au*

féminin singulier avec « devinette », qui le précède et qu'il remplace. ***Auxquels*** *s'accorde avec « sous-entendus ».*

Cumul de fonctions : le pronom relatif remplace son antécédent, introduit la relative et trouve sa fonction dans la relative elle-même :

– En général, les lieux **où** jouent les talabarders sont désertés par les oiseaux pendant plusieurs jours.

→ *Le pronom relatif* ***où*** *est CC de lieu de « jouent » (les talabarders jouent où ? Ils jouent dans les « lieux », remplacé par le pronom relatif* ***où****).*

Cette constatation **qu**'ont effectuée les ornithologues permet d'imaginer l'emploi de talabarders dans des environnements aéroportuaires **qui** deviendront plutôt folkloriques.

Le pronom relatif ***qu'*** *est COD de « ont effectuée » (les ornithologues ont effectué quoi ?* ***Qu'****, mis pour « constatation »). Le pronom relatif* ***qui*** *est sujet de « deviendront ».*

– Les talabarders **dont** nous parlons sont des joueurs de bombarde.

→ *Le pronom relatif* ***dont*** *est COI de « parlons »*

(nous parlons de quoi ? De ***dont****, mis pour « les talabarders »).*

Interrogeons-nous ! Les pronoms relatifs et les pronoms interrogatifs sont identiques (sauf *dont*, qui n'existe que pour les pronoms relatifs). Les pronoms interrogatifs (et les adverbes d'interrogation : *quand, comment, combien, pourquoi*) servent à formuler des interrogations directes, mais aussi des interrogations indirectes.

À l'interrogation directe (proposition indépendante)
– « Qui joue de la bombarde, ici ? »
correspond l'interrogation indirecte :
– « Je me demande **qui joue de la bombarde**, ici. »
➜ *La proposition subordonnée* ***qui joue de la bombarde*** *est une subordonnée interrogative indirecte, COD de la principale.*

Attention ! Risque de claudication !

Régulièrement, on entend ou on lit la même subordonnée relative boiteuse qui s'avance pourtant avec la belle assurance des phrases parfaites.

Elle commence par le pronom relatif *dont*. Et voici comment elle claudique :

– C'est de ce problème dont nous parlons…

➜ C'est de la syntaxe dont il est question… Étant donné que le pronom relatif *dont* contient déjà la préposition « de », on ne peut l'employer dans la structure commençant par « c'est de » car on se trouve en présence de deux « de » consécutifs : « c'est de… dont… » est égal à « c'est de… de… »

On dira donc :

– C'est de ce problème que nous parlons…

➜ C'est de la syntaxe qu'il est question… En revanche, si la préposition « de » n'est pas présente après « c'est », on peut employer le relatif *dont* :

– C'est cet auteur dont je parle.

➜ Résumons-nous : ou bien on dit : « c'est de… que… », ou bien on dit : « c'est… dont… ».

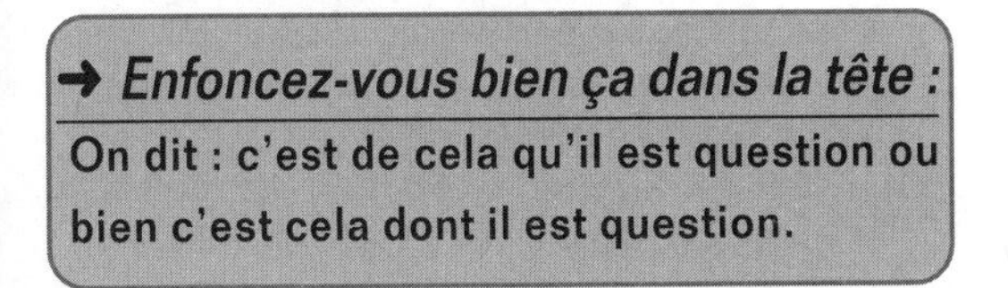

➜ Enfoncez-vous bien ça dans la tête :

On dit : c'est de cela qu'il est question ou bien c'est cela dont il est question.

13 Des propositions honnêtes : les conjonctives

– Les propositions subordonnées conjonctives ? Qu'est-ce que c'est long, cette dénomination. On dirait un train, un train de mots plein d'étrangers. Quelle langue parlent-ils ? Qu'on me dise ce que signifient ces propositions subordonnées conjonctives ! Vite, un interprète !
– Me voici !

Précisez les circonstances ! Les propositions subordonnées conjonctives sont introduites par une conjonction de subordination. Elles comportent un sujet, un verbe, et dans la plupart des cas, un ou plusieurs compléments. Leur rôle est de préciser les circonstances d'une action ou de fournir au verbe, au nom ou à l'adjectif des compléments détaillés.

Des exemples ? En voici, en voilà...

- **Quand Napoléon eut parcouru au petit trot le plateau de Pratzen,** il décida d'offrir cette position stratégique à l'ennemi.
  La proposition en gras est une proposition subordonnée circonstancielle de temps, introduite par la conjonction de subordination « quand », CC de temps de la proposition principale « il décida d'offrir cette position stratégique à l'ennemi ».

- L'ennemi, effectivement, s'y installa au grand galop **parce que cette position paraissait fournir le meilleur départ pour l'attaque**.
  La proposition en gras est une subordonnée conjonctive circonstancielle qui exprime la cause et complète la proposition principale « L'ennemi, effectivement, s'y installa au grand galop ».

- L'ennemi ignorait **que Napoléon était un petit malin** !
  La proposition en gras est une subordonnée conjonctive complétive ; elle donne au verbe de la principale, « ignorait », son COD.

- Au matin du 2 décembre 1805, le soleil éclaira pendant quelques secondes le champ de bataille plongé dans la brume, **de sorte que Napoléon put voir les Austro-Russes descendre, plutôt zen, le plateau de Pratzen**.
  La proposition en gras est une subordonnée circonstancielle de conséquence ; elle complète la principale qui la précède.

- **Bien que ses troupes fussent inférieures en nombre**, Napoléon lança son attaque et vainquit les Austro-Russes, victoire qui le combla **parce qu'elle lui rapporta de confortables stock-options** !
  La première proposition en gras est une subordonnée circonstancielle d'opposition ; elle complète la principale. La seconde proposition en gras est une subordonnée circonstancielle de cause ; elle complète le verbe de la relative, « combla ».

En toutes circonstances : il existe sept propositions conjonctives circonstancielles. Elles expriment :

Le temps : elles sont introduites par : *quand, lorsque, dès que, avant que, après que, au* *moment où, aussitôt que, jusqu'à ce que, depuis que, une fois que, à mesure que, comme.*

Le but : elles sont introduites par : *pour que, afin que, de peur que, de crainte que.*

La cause : elles sont introduites par : *parce que, puisque, étant donné que, vu que, comme, sous prétexte que, d'autant que, non que.*

La conséquence : elles sont introduites par : *si bien que, de sorte que, au point que, si… que, tant… que, tellement… que, trop… pour que.*

La concession : elles sont introduites par : *bien que, quoique, encore que, quand bien même, même si.*

La condition : elles sont introduites par : *si, à condition que, pourvu que, en admettant que, pour peu que, en supposant que, à supposer que, si tant est que, à moins que, suivant que, selon que, au cas où.*

La comparaison : elles sont introduites par : *aussi… que, plus… que, moins… que, plus que, moins que, d'autant plus que, le même que.*

Avec des « si » ! Après le *si* exprimant la condition, on emploie l'indicatif et non le conditionnel :

– Si tu venais entre cinq et sept heures (et non « si tu viendrais »), nous pourrions nous entraîner avant l'épreuve.

– Si vous étiez venue (et non « si vous seriez venue ») entre cinq et sept heures, nous aurions pu nous entraîner avant l'épreuve.

➜ En revanche, on emploie le conditionnel passé 2e forme après *si* :

– Si tu fusses venue entre cinq et sept heures, nous eussions pu nous entraîner avant l'épreuve.

➜ Cette règle du *si* de condition qu'on ne doit pas faire suivre du conditionnel est condensée dans la formule connue : « Les *si* n'aiment pas les rais ! » (Ni les rions, ni les riez) Mais on peut trouver des rais (des rions et des riez) après les *si* à condition qu'ils soient interrogatifs indirects :

– Je me demandais si tu viendrais entre cinq et sept heures pour l'entraînement.

Que de « que » !

Il existe six types de propositions subordonnées conjonctives introduites par la conjonction de subordination *que* :

La conjonctive sujet :

– **Que Louis XIV ait été un grand roi**

➜ (sujet de « est ») est pour certains tout à fait sûr ; pour d'autres, ce l'est moins.

La conjonctive attribut :

– Le problème est **qu'on ne sait pas vraiment**

(attribut de « problème ») s'il fut un roi grand ou petit.

La conjonctive objet :

– Ainsi, sur France Culture, on a récemment entendu **qu'il mesurait 1,84 m environ** (COD de « a entendu »).

La conjonctive complément de l'adjectif :

– Pourtant, beaucoup sont sûrs **qu'il ne mesurait que 1,62 m** (complément de « sûrs »).

La conjonctive apposition :

– Vous le saviez, vous, **qu'il existait une telle marge d'incertitude ?** (apposition au pronom personnel *le*).

La conjonctive complément du nom :

– La crainte **que le doute demeure** se renforce du fait qu'à l'époque, on manquait de mesure.

Attention, risque de rupture !

Étrange ellipse, curieux raccourci : on entend depuis trois ou quatre ans une structure qui traverse la parole de certains ou certaines comme une amputée, ou une empotée : on lui coupe une patte ou une aile ; bref, elle est sérieusement atteinte !

Un exemple ? Lisez ou écoutez...

- Cette chemise est 100 % coton, que celle-ci contient du polyester, on le sent dès dix heures le matin !

- La douche, pour les étrangers, c'est lundi, mardi, mercredi, etc., que pour les Français, c'est plutôt janvier, février, mars, avril, etc.

Alors, avez-vous trouvé la pièce manquante ? Non ? Vous la faites vous aussi, la faute ? Un peu de suspense ! Réponse dans le paragraphe suivant !

Attention, voici la réponse ! Dans les phrases qui précèdent, le *que* est amputé de son *alors* : la locution complète qui exprime l'opposition est *alors que*, inexplicablement tronquée. Écoutez maintenant la formulation complète :
– Cette chemise est 100 % coton, alors que celle-ci contient du polyester, on le sent dès dix heures le matin !
➜ Vous avez entendu la différence ?
– La douche, pour les étrangers, c'est lundi, mardi, mercredi, etc., alors que pour les Français, c'est plutôt janvier, février, mars, avril, etc. Pourtant, quel progrès depuis Louis XIV, où

la douche, c'était 1661, 1671, 1681, etc.

Honnêtes propositions : voulez-vous qu'on vous fasse quelques autres propositions honnêtes même si elles ne sont pas des subordonnées conjonctives ? Oui ? Allons-y !

Et une petite subordonnée infinitive, une ! Le verbe à l'infinitif est le noyau de la proposition subordonnée infinitive, mais il faut que cet infinitif possède son sujet propre, indépendant du verbe de la proposition principale :

– Chateaubriand, sous son arbre, entend le canon tonner à Waterloo.

→ *La proposition subordonnée infinitive est « le canon tonner », l'infinitif « tonner » possédant son sujet propre, « canon », tout à fait différent de « Chateaubriand », sujet de « entend ».*

Et une petite subordonnée participiale, une ! La subordonnée participiale a pour noyau un verbe au participe présent ou au participe passé. Il faut que le sujet de ce participe soit différent de celui du verbe de la proposition principale :

– Chateaubriand ayant un petit creux, son cocher attentif lui donna un biscuit.

→ *La proposition subordonnée participiale est : « ayant un petit creux », le participe présent « ayant » possédant un sujet propre, « Chateaubriand », différent du sujet de la principale « son cocher ».*

Votre nom ?

– Le nom… On ne va pas en faire un plat !
– Juste un amuse-gueule ?
– Un amuse-gueule ! Justement ! C'est ça, le nom, un amuse-gueule : il cherche sa place dans la phrase. Parfois, on l'a sur le bout de la langue, ou on le retient à grand-peine. Un passe-partout et un petit farceur, le nom !

Bande de ripoux ! Sept noms en « ou » prennent un « *x* » au pluriel : *bijou, caillou, chou, genou, hibou, joujou, pou*. On peut ajouter *ripou*…

Quel carnaval ! Les noms terminés par « al » font leur pluriel en « aux ». Un *minéral*, des *minéraux*, un *littoral*, des *littoraux*. Sauf : *bal, carnaval, cérémonial, chacal, festival, pal, récital, régal (un festival, des festivals)*. Voici d'autres exceptions qu'on ne rencontre qu'exceptionnellement : *des avals, des cantals, des chorals, des emmenthals, des finals, des gavials, des mistrals, des nopals, des rorquals, des sisals.*

Des étaux, mais des landaus : les noms terminés par « au » ou « eau » prennent un « *x* » au pluriel : des *étaux*, des *radeaux*. Les exceptions sont au nombre de deux : des *landaus*, des *sarraus*.

Des autorails, mais des coraux : les noms terminés par « ail » s'écrivent « ails » au pluriel : des *attirails*, des *autorails*, des *éventails*. Sauf : des *baux* (un *bail*), des *coraux* (un *corail*), des *émaux* (un *émail*), des *soupiraux* (un *soupirail*), des *travaux* (un *travail*), des *vantaux* (un *vantail*), des *vitraux* (un *vitrail*).

Attention : on écrit des *crédits-bails*. On peut trouver aussi : des *corails* (des objets en *corail*) ainsi que des *émails* (*émail* peinture, vernis) ou des *travails* (installation destinée à immobiliser un animal) !

Et euh ! Les noms terminés par « eu » ou « œu » prennent un « *x* » au pluriel : des *dieux*, des *vœux*. Sauf : des *bleus*, des *émeus* (oiseaux coureurs de grande taille en Australie), des *lieus* (poissons appelés également « colins » ou « *lieus* noirs ») et des *pneus*.

Des gaz ? Les noms terminés par « s », « x » ou « z » demeurent invariables au pluriel : un *creux*, des *creux*, un *gaz*, des *gaz*, un *nez*, des *nez*, un *pays*, des *pays*, un *puits*, des *puits*, un *riz*, des *riz*, etc.

Tous les jours ! On écrit donc *tous les lundis*, *tous les mardis*, *tous les mercredis soir*, *tous les jeudis matin*, *tous les vendredis et samedis* (mais *tous les vendredi et samedi de chaque semaine* : il n'y a qu'un vendredi et qu'un samedi par semaine).On écrit également : *les deuxième et quatrième mercredis de chaque mois.*

Et l'euro ? Journal officiel du 2 décembre 1997 : « *Les termes* euro *et* cent, *qui désignent respectivement la monnaie européenne et sa subdivision, doivent, en français, prendre la marque du pluriel, conformément à l'usage qui prévaut dans cette langue pour les noms communs.* » Il convient donc d'écrire : *des euros, des cents.*

– Sur les billets, on peut lire *vingt euro*, *cinquante euro*, sans la marque du pluriel, ce qui est tout à fait normal puisque les billets circulent dans des pays européens où la règle d'accord du

pluriel n'impose pas forcément le « s ».
- Sur un chèque, on écrit selon la règle grammaticale française : *vingt euros, cinquante euros, quatre-vingts euros quatre-vingt-trois centimes, etc.*

Noms propres : un « s » ? Les noms de famille ne varient pas :
- À quelle heure les *Martin*, qui viennent dîner ce soir, vont-ils encore partir ?

→ Le nom de familles illustres peut prendre la marque du pluriel :
- Les *Bourbons* ne buvaient pas de whisky.

→ Si le nom propre désigne l'œuvre produite, il demeure invariable :
- J'ai revendu deux *Vuillard* que je ne pouvais plus voir !

Adjectif : qualifié !

15

« Ah ! L'adjectif qualificatif ! Que de « i » dans ces mots ! Qu'est-ce exactement ? Je n'en sais encore trop rien malgré des années de cours de grammaire ! »

Reconnaître l'adjectif qualificatif... Vous avez su le faire sans trop de difficulté ! Rappelez-vous, c'est si facile !
L'adjectif qualificatif est un mot qui apporte une précision concernant un autre mot (nom commun ou pronom).
On ne peut le faire précéder d'un déterminant (article ou adjectif), sauf par métonymie ou ellipse.
« Par métonymie ou ellipse » signifie qu'on peut enlever dans une phrase un ou plusieurs mots pour éviter les répétitions ou aller plus rapidement.
Ainsi, par exemple, l'adjectif qualificatif pourra se trouver précédé d'un déterminant : Iseut hésite entre une robe jaune et une robe rouge. Finalement, elle choisit la rouge.
L'expression « adjectif qualificatif » désigne l'identité du mot et non sa fonction.

Des exemples ? En voici, en voilà...

- Les saucisses **sèches** sont chez ce **cher** Serge.
- Ces chèches **chic** cachent six cheikhs sans chichis.
- Les **petits** oiseaux volent comme des idées **folles**.
- Les idées **sages** se posent sur des mots **tranquilles**.

Surtout, n'oubliez pas d'accorder les adjectifs qualificatifs ! Les adjectifs qualificatifs s'accordent en genre et en nombre avec le nom auquel ils se rapportent.

La très chic particularité de « chic » à retenir ! l'adjectif qualificatif « chic » est normalement invariable. Cependant, on peut rencontrer « chics », au pluriel :

– Serge Gainsbourg a écrit *Les Dessous chics* pour Jane Birkin.

→ Les adjectifs terminés par « al » forment leur pluriel en « aux ». Sauf : *banal*, *bancal*, *fatal*, *final*, *glacial*, *natal*, *naval*.

Connaissez-vous l'adjectif « jovial » ? le pluriel de l'adjectif « jovial » est soit *jovials (es)*, soit *joviaux*.

Saurez-vous accorder l'un des adjectifs les plus banals ? : le pluriel de « banal » est *banals* (au féminin singulier : *banale*, au féminin pluriel : *banales*). Si on écrit *banaux*, il s'agit des fours *banaux* du Moyen Âge, c'est-à-dire des fours dont les paysans appartenant à une seigneurie devaient se servir contre une redevance :

– Les romans de cet auteur falot sont *banals*.

À éviter : un pluriel pas très finaud ! Le pluriel de « final » est *finals* ou *finales*. On évite de dire *finaux* afin qu'il n'y ait pas de confusion avec *finaud*, adjectif désignant de façon familière quelqu'un de rusé.

Ne prenez pas la sotte pour une idiote ! Les adjectifs terminés par « ot » font leur féminin en « ote » : *idiote, petiote, rigolote*, etc. Sauf : *boulotte, maigriotte, pâlotte, sotte, vieillotte.*

Savez-vous pourquoi le fou devient fol ? Les adjectifs « beau », « fou », « mou », « nouveau », « vieux », font, devant un nom commençant par une voyelle : *bel (un bel outil), fol (un fol amour), mol (un mol engin), nouvel (un nouvel arrivant), vieil (un vieil ours).*

Vous allez savoir ce qu'est l'adjectif épithète : un adjectif qualificatif qui n'est pas séparé du nom qu'il qualifie par un verbe a la fonction d'épithète :

– La **blanche** école où je vivrai n'aura pas de roses **rouges** (Cadou).

→ ***Blanche*** *est épithète d'« école »,* ***rouges*** *est épithète de « roses ».*

Vous allez comprendre ce qu'est l'adjectif attribut : un adjectif qualificatif qui est séparé du nom qu'il qualifie par un verbe d'état *(être, paraître, sembler, devenir, demeurer, rester, avoir l'air, passer pour)* a la fonction d'attribut :

– Les roses sont **rouges** lorsque l'amour est **ardent**. »

→ ***Rouges*** *est attribut de « roses »,* ***ardent*** *est attribut d'« amour ».*

L'adjectif sait se mettre en valeur : l'adjectif qualificatif peut être détaché du nom qu'il qualifie ; il bénéficie ainsi d'un éclairage particulier ; il fait l'important : *jaune*, la rose exprime le doute, le soupçon.

Demi et nu ? Vous allez les accorder sans erreur : employés comme adverbes, *demi* et *nu* demeurent invariables devant le nom qualifié ; placés après, ils varient :

– Ne visitez pas Monte-Alban *nu*-tête en décembre au Mexique ! En revanche, vous pouvez vous y promener pieds *nus* pendant trois heures et *demie* ou davantage.

Et si on parlait du comparatif et du superlatif ?

On peut employer l'adjectif qualificatif au comparatif ou au superlatif.

➜ Comparatif de supériorité :
– Jean-Paul est *plus* grand *que* Paul.
➜ Comparatif d'égalité :
– Grégoire est *aussi* grand *que* Pie.
➜ Comparatif d'infériorité :
– Urbain est *moins* grand *que* Jeanne.
➜ Superlatif relatif de supériorité :
– C'est Léon, *le plus* riche.
➜ Superlatif relatif d'infériorité :
– Zacharie est probablement *le moins* sot.
➜ Superlatif absolu :
– Les papes sont souvent *très* vieux.

Attention, dérapages possibles !

Associé à un superlatif relatif, l'adjectif « possible » reste invariable :
– Si vous voulez continuer de la trouver belle, posez-lui *le moins* de questions *possible* » (*le*

moins possible de questions). Quand « possible » suit un adjectif au superlatif, il s'accorde :

– Lâché seul, il choisit toujours les vêtements *les plus* laids *possibles*.

→ Quand l'adjectif « possible » suit un nom lui-même complément d'un adjectif au superlatif, il s'accorde :

– Une firme automobile a réussi à créer la moins élégante des voitures *possibles*.

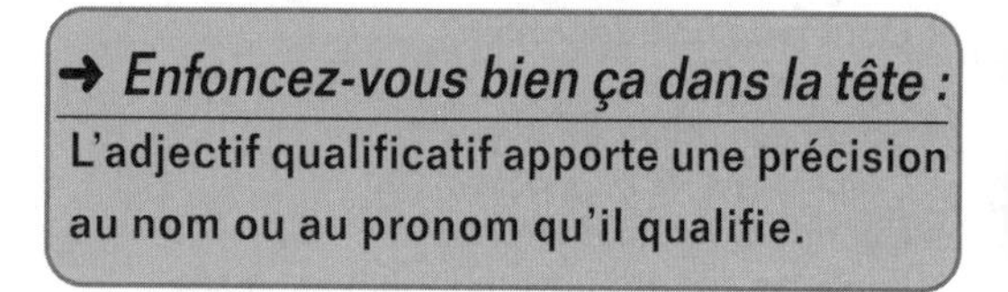

La boîte aux pronoms

16

– Dans « pronom », il y a « nom » et il y a « pro » !
– Bien vu !
– Un nom, je sais ce que c'est, mais « pro »...
– Pro, c'est « pour », en latin !
– Ah ! Le pronom, c'est un mot qui remplace le nom ?
– Vous, vous n'êtes pas bête ! Quel est votre nom ?
– Contentez-vous de mon pronom : je suis « vous » !

Enfantin ! Le pronom (*pro* : mis « pour ») remplace le nom. Il ne l'accompagne pas, il le représente dans la phrase.

Les sept familles

On compte sept familles de pronoms :

- **La famille personnelle :** cette famille se répartit en deux catégories : les pronoms personnels sujets : *je, tu, il, elle, nous, vous, ils, elles* ; les pronoms personnels compléments : *me, te, le, la, lui, se, nous, vous, leur, moi, toi, soi, eux, en, y*.

– **L'exemple de la famille :** ces lectrices pensaient que le prénom de La Rochefoucauld était Maxime. Nous **leur** avons révélé qu'il s'appelait François, François de La Rochefoucauld.

→ *Le pronom personnel **leur**, qui remplace « lectrices » est COS de « avons révélé » (le COD est la proposition subordonnée conjonctive commençant par « que ») ; le pronom personnel **leur** est invariable.*

- **La famille possessive :** tous les membres de cette famille ont une idée fixe : la propriété ! Les pronoms possessifs varient en genre, en nombre et en personne. En voici la liste : *le mien, le tien, le sien, le nôtre, le vôtre, le leur, la mienne, la tienne, la sienne, la nôtre, la vôtre, la leur, les miens, les tiens, les siens, les nôtres, les vôtres, les leurs, les miennes, les tiennes, les siennes, les nôtres, les vôtres, les leurs.*

– **L'exemple de la famille :** à travers ses maximes, François de La Rochefoucauld prétend nous révéler nos faiblesses, mais il nous révèle d'abord **les siennes**.

→ *Le pronom possessif « les siennes » est COD de « révèle ».*

- **La famille démonstrative :** dans « démonstratif », il y a « mon(s)trer ». Les pronoms démonstratifs servent donc à montrer ; ils désignent l'être, l'idée ou la chose dont on parle, dont on vient de parler, dont on va parler : *celui, celui-ci, celui-là, celle, celle-ci, celle-là, ce, ceci, cela* (qui donne *ça*, sans accent), *ceux, ceux-ci, ceux-là, celles, celles-ci, celles-là.*

– **L'exemple de la famille :** les maximes de La Rochefoucauld sont souvent réversibles. Ainsi, on peut faire mentir **celle-ci** : « Le désir de paraître habile empêche souvent de le devenir », en affirmant **cela** : « Le désir de paraître habile aide souvent à le devenir. »

➔ *Le pronom démonstratif **celle-ci** est COD de « mentir ». Le pronom démonstratif **cela** est COD de « affirmant ».*

- **La famille indéfinie :** dans la famille indéfinie, on ne s'embarrasse pas de détails, on demeure évasif, allusif, global ; bref, on est indéfini ! Chaque membre de cette famille est capable de désigner tout et n'importe quoi (la preuve : *tout* et *n'importe quoi* sont des pronoms indéfinis).

➔ Certains d'entre eux sont résolument invariables : *plusieurs, personne, on, rien, quiconque, autrui, quelque chose, n'importe qui, n'importe quoi, tout le monde.* D'autres varient : *aucun (aucune), l'autre (les autres), un autre (une autre), certain (certains, certaine, certaines), chacun (chacune), le même (la même, les mêmes), nul (nuls, nulle, nulles), l'un (les uns, l'une, les unes), quelqu'un (quelques-uns, quelqu'une, quelques-unes), tel (tels, telle, telles), tout (tous, toute, toutes), pas un (pas une).*

Le pronom indéfini *aucun* s'emploie presque toujours au singulier, sauf lorsqu'il est précédé de « d' » ; il signifie alors *certains* : *d'aucuns* affirment que Madame de La Fayette et La Rochefoucauld ne disaient pas que des grandes phrases ; parfois, ils en prononçaient de toutes petites.

– **L'exemple de la famille : quiconque** a lu La Rochefoucauld a toujours la certitude d'avoir fait provision de sagesse.

➜ ***Quiconque*** *est un pronom indéfini, sujet de « a lu ».*

- **La famille relative :** la famille relative est toujours disponible pour introduire une subordonnée. Chacun de ses membres peut se mettre d'accord avec un nom afin de le préciser, d'en dire davantage. Voici la liste des pronoms relatifs : *qui, que, quoi, dont, où, lequel* (et ses composés : *laquelle, lesquelles, lesquels, auquel, à laquelle, auxquels, auxquelles, duquel, de laquelle, desquels, desquelles*).

– **L'exemple de la famille :** François de La Rochefoucauld, **dont** beaucoup de maximes soulignent les dangers et les faiblesses de l'amour, fut marié à sa cousine à 15 ans, en 1628.

→ *Le pronom relatif* ***dont*** *est complément du nom « maximes » (les maximes de qui ? De* ***dont****, mis pour « François de La Rochefoucauld »).*

• **La famille interrogative :** curieuse famille ! Elle pose des questions à tout bout de champ et ressemble comme deux gouttes d'eau à la famille voisine des pronoms relatifs (sauf *dont*) ! Voici cette famille au grand complet : *qui, que, quoi, où,* lequel (et ses composés : *laquelle, lesquelles, lesquels, auquel, à laquelle, auxquels, auxquelles, duquel, de laquelle, desquels, desquelles*).

Les pronoms interrogatifs peuvent être précédés de prépositions : *pour qui ? À quoi ? Par où ?*

– **L'exemple de la famille :** la question posée peut être directe : **de qui** la duchesse de Chevreuse fut-elle la maîtresse ? Devinez... D'un jeune homme de 16 ans, marié depuis un an à sa cousine... Vous vous demandez **qui** cela peut être ? François de La Rochefoucauld !

→ *Le premier **qui** en caractères gras est un pronom interrogatif, complément du nom « maîtresse » ; le deuxième **qui** en caractères gras est aussi un pronom interrogatif : il introduit une interrogation indirecte : il est attribut de « cela ».*

- **La famille qui compte :** voici une famille sur laquelle on peut compter ! Les pronoms numéraux expriment une quantité ou un rang ; ils peuvent faire référence à un nom ou à un groupe nominal déjà exprimé. La famille des pronoms numéraux se répartit en deux groupes : les cardinaux *(un, deux, trois...)* et les ordinaux *(le premier, le deuxième, le troisième...)*

– **L'exemple de la famille :** La Rochefoucauld a aimé cinq femmes : **quatre** lui ont été fidèles, mais la **cinquième**, volage, s'est envolée.

→ ***Quatre** est un pronom numéral cardinal remplaçant « femmes » ; il est sujet de « ont été » ; et la **cinquième** est un pronom numéral ordinal, sujet de « s'est envolée ».*

Attention, risque de nullité !

Il ne faut pas confondre le pronom et l'adjectif. Parfois, ils ont la même orthographe. Le mot « nul », par exemple, est tantôt pronom indéfini, tantôt adjectif indéfini. S'il n'accompagne pas le nom, mais le remplace dans la phrase, il est pronom. S'il se place devant le nom, il est adjectif :
Nul *n'est obligé d'admirer La Rochefoucauld !*
*(**Nul** est pronom indéfini, sujet de « est »).*
Nul *lecteur n'est obligé d'admirer La Rochefoucauld ! (**Nul** est adjectif indéfini et détermine lecteur).*

Attention, risque de ratés !

La forme renforcée de l'interrogation directe disparaît dans l'interrogation indirecte (dans le langage courant, c'est peu respecté).
Ainsi, à l'interrogation directe :
- Qui est-ce qui a écrit les *Maximes* de La Rochefoucauld ?

correspond l'interrogation indirecte :
- Nous vous demandons qui a écrit les *Maximes* de La Rochefoucauld

(et non pas : nous vous demandons qui est-ce qui a écrit…).

→ À l'interrogation directe : qu'est-ce qui m'agace chez La Rochefoucauld ? correspond l'interrogation indirecte : je me demande ce qui m'agace chez La Rochefoucauld (et non : je me demande qu'est-ce qui m'agace…).

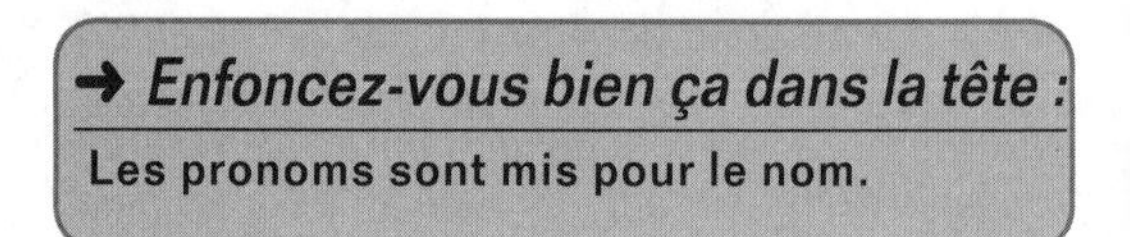

→ *Enfoncez-vous bien ça dans la tête :*

Les pronoms sont mis pour le nom.

La boîte aux déterminants

17

– Les déterminants déterminent…
– Et ils déterminent quoi ?
– Ils déterminent les déterminés, c'est clair ?
– Non !
– Le mot « livre », par exemple, sans déterminant, on ne sait pas quel livre c'est…
– Et alors, si on n'aime pas lire, on s'en moque…
– Vous le faites exprès ?
– Oui, un petit peu…

Un choix déterminant ! Le déterminant précise le mot qui le suit. Il lui donne des caractéristiques qui permettent de l'identifier. On apprend grâce au déterminant si le mot est masculin ou féminin, s'il est singulier ou pluriel, si on en est proche ou éloigné, propriétaire ou observateur, etc. Les déterminants se répartissent en deux catégories : les articles et les adjectifs non qualificatifs.

Des exemples ? En voici, en voilà...

- **Un** pigeon, c'est un pigeon en général.
- **Le** pigeon, c'est le pigeon modèle.
- **Mon** pigeon, c'est mon pigeon.
- **Ce** pigeon, ce n'est pas cet autre pigeon.
- **Deux** pigeons s'aimaient d'amour, deux vrais pigeons !
- **Quels** pigeons ?

Approchez, approchez du rayon des déterminants ! Voulez-vous des articles ou des adjectifs ?

Voici d'abord nos articles définis : avec eux, vous obtenez une précision suffisante pour savoir de quoi il s'agit : *le, la, les.* Le pigeon, la pigeonne, le pigeonneau.

Une variante existe : ce sont les articles définis contractés ; ils sont mêlés à une préposition :

– *au (à le)* : le colombophile donne des graines *au*

pigeon ; *du (de le)* : le colombophile se saisit *du* pigeon ; *aux (à les)* :
Le colombophile sert son pigeon *aux* invités ; *des (de les)* : le colombophile est celui qui se nourrit *de* l'amour et *de* la chair des pigeons.

Voici ensuite nos articles indéfinis : leur nom l'indique, ce qui les suit n'est pas très précis : *un, une, des* : *un* pigeon en général, *une* pigeonne quelconque, *des* pigeonneaux par-ci, par-là.

Voici enfin nos articles partitifs : dans « partitif », on trouve « partie ». Les articles partitifs sont donc suivis d'une partie de ce qu'ils désignent : *du, de la, des*. Ne confondez pas « du », article défini contracté, et « du », article partitif :
– Le roucoulement *du* pigeon (*de le*, article défini contracté) est monotone.
→ Comme le colombophile, l'ornithologue mange *du* (partitif, « une partie ») pigeon.

Voulez-vous jeter un œil sur nos déterminants adjectifs ? Nos déterminants adjectifs ne sont pas des adjectifs qualificatifs. Les adjectifs qualificatifs donnent une qualité au nom *(grand, beau, bête...)*, les déterminants adjectifs précisent le nom qui les suit.

Notre stock d'adjectifs numéraux cardinaux : *un, deux, trois, quatre, vingt, cent, mille…*

– *Un mouton, deux moutons, trois moutons, quatre moutons, vingt moutons, quatre-vingts moutons, cent moutons…* Allons, réveillez-vous maintenant !

→ **Nos adjectifs numéraux ordinaux :** *premier, deuxième, trentième, soixante et onzième…*

– *Panurge jette le premier mouton à la mer, le deuxième mouton suit le premier, il saute à la mer, le troisième mouton saute aussi, puis le trentième mouton, puis tous les moutons…* Ainsi, dans le chapitre 8 du *Quart Livre*, Rabelais nous montre que les ressorts de la nature humaine sont comparables aux jarrets de moutons.

→ **Notre réserve d'adjectifs indéfinis :** bien pratique, l'adjectif indéfini, lorsqu'on n'a pas une idée précise de ce qu'on dit, lorsqu'on demeure dans l'évasif, le flou, l'approximatif parfois lié au péremptoire, à l'affirmation d'une idée générale dont la vérité se dilue elle aussi dans une sorte d'impressionnisme indéfini… Entrons dans notre réserve : *aucun, autre, certain, chaque* (invariable), *différents, divers, maint, même, nul, plusieurs, quelque, quelconque, tel, tout, pas un, n'importe quel, beaucoup de, bien des…*

Penchons-nous sur le cas « aucun » : cet adjectif indéfini possède une valeur négative, mais il peut avoir une valeur positive, celle qu'il possédait à sa naissance :

– Le regard de Panurge s'attarda sur aucun mouton qu'il saisit et jeta à la mer.

Aimeriez-vous employer « aucun » au pluriel ? Devant les mots qui n'ont pas de singulier :

– Aucuns honoraires ne sont dus à Thomas Diafoirus ; aucunes royalties n'accompagneront l'octroi du marché aux moutons.

➜ **Des questions sur l'accord de « tel » ?** L'adjectif indéfini « tel » s'accorde avec le nom qui le suit :

– Albert Hébasque adore les voitures françaises, telles les Peugeot, les Renault. En revanche, « tel que » s'accorde avec le nom qui précède : Albert Hébasque adore les pains tels que les baguettes, les boules tranchées.

➜ La locution « tel quel » s'accorde avec le nom auquel elle se rapporte :

– Votre automobile était cacochyme, je vous la rends telle quelle.

« Quelque » ou « quel que » ? « Quelque », en un mot, c'est l'adjectif indéfini : il est donc suivi d'un nom commun ou d'un adjectif qualificatif. « Quel que », en deux mots, c'est l'adjectif relatif « quel » suivi de « que ». Dans « quel que » (en deux mots), toujours suivi du verbe « être » (ou « pouvoir être ») au subjonctif, « quel » est attribut du sujet du verbe « être » et s'accorde donc avec ce sujet (quelles que soient vos pensées, l'adjectif relatif « quelles » s'accorde avec le sujet du verbe « être » qui est « pensées »).

➜ **Un exemple avec « quelques... que »** encadrant un nom commun :

- **Quelques** regrets **que** vous en ayez, il faut sacrifier ce pigeon (**quelques** s'accorde avec « regrets », nom commun).

➜ **Un exemple avec « quelque... que »** encadrant un adjectif qualificatif :

- **Quelque** mécontents **que** soient la pigeonne et le pigeonneau, ce pigeon sera rôti ce soir !

➜ **Un exemple avec « quelque »** non plus adjectif mais adverbe :

- Depuis les **quelque** (quelque est égal à « environ ») trois ans que nous élevons ce pigeon, nous avons eu le temps d'aiguiser notre appétit.

➜ **Un exemple avec « quel que » :**

- **Quel que** soit votre appétit, vous n'avez pas le droit de zigouiller ainsi un pigeon ! L'adjectif

quel s'accorde avec « appétit » : **Que** votre appétit soit (n'importe) **quel**.

➜ **Un exemple avec « quels que » :**

– **Quels que** soient vos arguments, ce pigeon n'ayant pas d'avocat, sera condamné à mort dans l'instant ! L'adjectif **quels** s'accorde avec « arguments » : **que** vos arguments soient (n'importe) **quels**.

➜ **Un exemple avec « quelle qu'elle » :**

– Votre décision, **quelle qu'elle** soit, ne remettra pas en cause notre lutte pour le bonheur des pigeons. L'adjectif **quelle** s'accorde avec le pronom personnel « elle » qui est mis pour « décision ».

➜ **Un exemple avec « quel qu'il » :**

– Le bonheur du pigeon, **quel qu'il** soit, passe par le fil du couteau du colombophile qui évite à l'oiseau la laideur d'un plumage chenu. L'adjectif **quel** s'accorde avec le nom « pigeon ».

Allons-nous vous montrer nos adjectifs démonstratifs ? L'adjectif démonstratif, comme son nom l'indique, montre. Sa place se situe au bout du doigt malappris qui ne sait pas qu'on évite de pointer l'index vers ce ou ceux qu'on désigne. Voici donc nos adjectifs démonstratifs : *ce, cet, ces*, renforcés par *-ci* ou -*là* (ce mouton-*ci*, cette automobile-*là*).

Utilisez nos adjectifs possessifs ! Pour dire ce qui est à vous, ce qui ne l'est pas, ce qui pourrait l'être, ce qui ne le sera jamais : *mon, ton, son, notre, votre, leur, ma, ta, sa, mes, tes, ses, nos, vos, leurs. Ma voiture, ta maison, son époux, leurs chaussures, etc.*

Ils en posent des questions, les adjectifs interrogatifs ! Et ils se placent devant le nom, forcément (sinon, ce serait des pronoms interrogatifs). Les voici, les adjectifs interrogatifs : *quel, quels, quelle, quelles.*

– Quels sont vos projets pour la nuit ? Quelle étoile, quel astre voulez-vous contempler ? De quelles planètes aimeriez-vous suivre l'errance, allongée à minuit, dans la prairie ?

→ **Exclamons-nous !** Même orthographe que les adjectifs interrogatifs ! Tout est dans le ton, et dans le signe de ponctuation, le point d'exclamation ! Voici les adjectifs exclamatifs : *quel, quels, quelle, quelles.*

– Quel beau projet ! Quelle belle étoile ! Quelle belle prairie dans la nuit !

Prépositions : à tout propos !

18

– J'ai toujours confondu les prépositions et les propositions. Position du pré ? Position du pro ? Qu'on m'instruise, vite, ma curiosité s'aiguise !
– Du calme ! Rien de croustillant ! La préposition, c'est plan-plan ! C'est un peu le fonctionnaire de la phrase : statut invariable, envergure réduite, rôle de charnière, de petit gond de part et d'autre duquel s'activent les forces vives de la phrase. Voyons cela dans le détail !

La préposition éveille les sens : la préposition est un mot invariable qui sert de lien entre un mot et son complément. Ce lien permet souvent de préciser le sens de la relation entre les deux termes reliés.

Des exemples ? En voici, en voilà...

- Tirez **sur** le pianiste !
- Tirez **avec** le pianiste !
- Tirez **sans** le pianiste !
- Tirez **sous** le pianiste !

Voulez-vous retenir 32 prépositions ? Imaginez l'histoire d'un voyageur qui s'appelle Ade : ***Ade part, pour cent sous, sûr, avec Endans.*** Les prépositions peuvent être des mots simples : *à, de, par, pour, sans, sous, sur, avec, en, dans, avant, après, devant, derrière, dessous, chez, contre, depuis, vers, malgré, durant, jusque, pendant, entre, parmi, outre, hormis, touchant, suivant, voici, voilà.*

Bandes de copines : les prépositions peuvent être composées de plusieurs mots. On les appelle alors des locutions prépositives : *à cause de, à côté de, afin de, à l'exception de, à partir de, à travers, au-delà de, au-dessous de, au-dessus de, au lieu de, au moyen de, autour de, de façon à, de manière à, en dépit de, en raison de, grâce à, par-dessous, par-dessus, près de, quant à, etc.*

Tous nos compléments ! Les prépositions introduisent des compléments : le complément du nom (Le piano **du** *Clairon* ***des*** *chasseurs*, place **du** Tertre), le CC (Elle était venue **avec** lui, elle jouait **pour** lui, et le miroir réfléchissait **vers** leur avenir leurs regards sans mémoire), le COI, le COS, le complément de l'adjectif...

Attention, union à risque !

Avec « au » et « par », on emploie toujours un trait d'union : au-delà, par-delà ; mais jamais avec « en » : en deçà, en dessus.

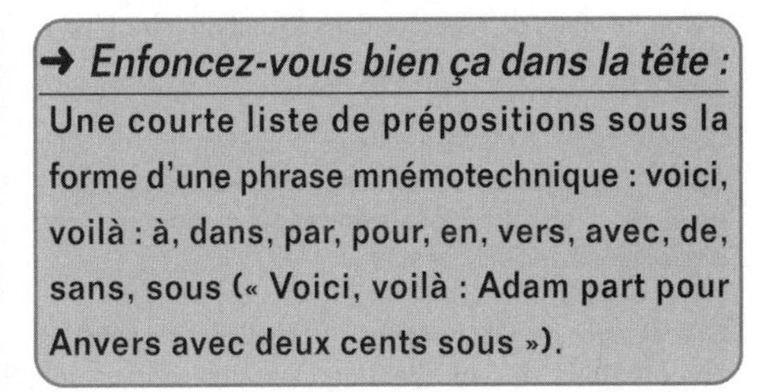

→ Enfoncez-vous bien ça dans la tête :

Une courte liste de prépositions sous la forme d'une phrase mnémotechnique : voici, voilà : à, dans, par, pour, en, vers, avec, de, sans, sous (« Voici, voilà : Adam part pour Anvers avec deux cents sous »).

19 La boîte aux conjonctions

– Conjonction ? Du latin conjunctio, « liaison »...
– Vous savez tout, décidément !
– Non, je viens de regarder dans le dictionnaire !
– Je vois : Doctus cum libro...

Les conjonctions sont utilisées pour joindre (du latin *conjunctio* : « liaison ») des mots entre eux, des groupes de mots, des propositions relatives, pour introduire des propositions conjonctives, etc.

Coordination ou subordination ? Voici d'abord la liste des conjonctions de coordination, installées dans une phrase mnémotechnique aux allures enquêtrices : on y recherche un certain Ornicar ! *Mais, ou* (sans accent), *et, donc, or, ni, car* (« Mais où est donc Ornicar ? »)

Voici la liste des conjonctions ou locutions conjonctives (plusieurs mots) de subordination :

Le temps : *avant que, après que, au moment où, aussitôt que, quand, lorsque, dès que, jusqu'à ce que, depuis que, une fois que, à mesure que, comme* (*comme* peut aussi exprimer la cause ou la comparaison), *en même temps que, tandis que* (*tandis que* peut aussi exprimer l'opposition).

Le but : *pour que, afin que, de peur que, de crainte que, de manière que, de façon que* (*de manière que, de façon que* peuvent aussi exprimer la conséquence, tout dépend du contexte).

La cause : *parce que, puisque, étant donné que, vu que, comme, sous prétexte que, d'autant que, non que, comme.*

La conséquence : *si bien que, de sorte que, de telle sorte que, de manière que, de façon que, au point que, si… que, tant… que, tellement… que, trop… pour que.*

La concession, l'opposition : *bien que, quoique, encore que, quand bien même* (*quand bien même* peut aussi exprimer la condition), *même si, alors que, au lieu que, loin que, bien loin* *que, tandis que si* (*si* peut aussi exprimer la condition).

La condition : *si, à condition que, pourvu que, en admettant que, pour peu que, en supposant que, à supposer que, si tant est que, à moins que, suivant que, selon que, au cas où, quand bien même, dans la mesure où.*

La comparaison : *aussi… que, plus… que, moins… que, plus que, moins que, d'autant plus que, le même que, comme.*

L'adverbe : pas d'accord !

20

– Pour lui au moins, tout est simple : l'adverbe ne varie pas d'un pouce, d'un iota, d'un poil ! C'est du moins ce qu'on m'a appris...
– Il ne varie pas ? pas si sûr, pas si sûr...
– On m'aurait mal appris ?
– Je ne dis pas cela, je ne dis pas cela...

Les adverbes font le plein des sens : les adverbes désignent une catégorie de mots invariables qui, dans la phrase, modifient le sens d'un verbe, d'un adjectif, d'une proposition ou d'un autre adverbe. On peut les diviser en deux catégories :

- Ceux qui expriment une circonstance : manière, lieu, temps, quantité ;

- Ceux qui expriment une opinion : affirmation, négation, doute, interrogation, exclamation.

Des exemples ? En voici, en voilà...

- Ciboulette et Giboulée, les deux chattes d'Iseut, se sont **très discrètement** introduites dans le chapitre sur l'adverbe.
- Or, c'est **précisément** à ce moment-là que le chat Grosminet est entré dans la rubrique des exemples.
- **Évidemment**, Ciboulette et Giboulée, **tout à fait** séduites par la démarche **plutôt** athlétique de Grosminet, ont **immédiatement** commencé à ronronner **très fort**.
- Mais Grosminet, indifférent, s'en est allé **plus loin**, l'allure **vraiment** hautaine, presque méprisante.
- Dépitées, Ciboulette et Giboulée sont retournées **tristement** chez Iseut en mâchouillant une de ces souris grises dont la petite tête craque **délicatement** sous la dent, ainsi qu'une cacahouète **juste assez** grillée.

Ils en font, des manières ! Les adverbes qui se terminent par « ment » sont presque tous des adverbes de manière (le suffixe « ment » vient de *mens* signifiant « esprit » en latin, puis « manière » dans les langues romanes. « Clairement » signifie donc « de manière claire »).

De l'adjectif à l'adverbe : à partir d'un adjectif terminé par « ant », on forme l'adverbe de manière en conservant le « a » et en ajoutant « mment ». Pour se rappeler qu'il faut mettre deux « m », on peut se dire que le « n » devient « m » et que le « t » devient « m » aussi ; ensuite, on ajoute « ent ». Ainsi, à partir de l'adjectif « plaisant », on forme l'adverbe « plaisamment ».

Bis repetita : à partir d'un adjectif terminé par « ent », on forme l'adverbe de manière en conservant le « e » et en ajoutant « mment ». Ce « e » dans l'adverbe se prononce « a ». Ainsi, à partir de l'adjectif « violent », on forme l'adverbe « violemment » (qu'on prononce [vio-la-mment], en insistant discrètement sur les deux « m »). En voici quelques autres : *intelligent, intelligemment ; apparent, apparemment* ; *ardent, ardemment* ; *décent, décemment* ; *conscient* ; *consciemment* ; *différent, différemment* ; *éminent, éminemment* ; *évident, évidemment* ; *fréquent, fréquemment* ; *innocent, innocemment* ; *négligent, négligemment* ; *patient, patiemment* ; *pertinent, pertinemment* ; *précédent,* *précédemment* ; *prudent, prudemment* ; *récent, récemment.*

Sans « e » ! Lorsque l'adjectif à partir duquel on forme l'adverbe est terminé par « ai », « é », « i », « u », on lui ajoute le suffixe « ment », sans « e » intermédiaire : *aisé, aisément ; assuré, assurément ; carré, carrément ; éperdu, éperdument ; forcé, forcément ; hardi, hardiment ; indéfini, indéfiniment ; joli, joliment ; poli, poliment ; posé, posément ; vrai, vraiment.*

« É » s'incruste ! Certains adverbes comportent un « é » intermédiaire entre l'adjectif et le suffixe « ment » : *aveugle, aveuglément ; commode, commodément ; commun, communément ; confus, confusément ; énorme, énormément ; express, expressément ; immense, immensément ; importun, importunément ; intense, intensément ; obscur, obscurément ; opportun, opportunément ; profond, profondément ; uniforme, uniformément.*

C'est « gentil » ! À partir de l'adjectif « gentil », on forme l'adverbe « gentiment », sans le « l ».

Pour les « gais » : l'adjectif « gai », qui possède deux orthographes : « gaîté » (comme la station de métro), modifiée en 1932 en « gaieté », possédait par conséquent deux formes adverbiales : « gaîment », dans les textes avant 1932, et « gaiement », orthographe retenue depuis.

Sur le « u » ! Formés à partir d'adjectifs terminés par « u », certains adverbes prennent un accent circonflexe : *assidûment, congrûment, continûment, crûment, dûment, goulûment, indûment.* On écrit « nûment » ou « nuement ».

Tout « frais » ! Des fleurs *frais* cueillies ou *fraîches* cueillies ? On peut dire les deux, « frais » étant dans les deux cas employés comme adverbe. Lorsqu'il est employé devant un adjectif ou devant un participe, « nouveau » est adverbe et ne varie pas : des enfants *nouveau-nés.*

Pas Golaud Golaud dans la case ! « Ensemble », employé comme adverbe, est invariable :

- J'ai croisé Pelléas et Mélissande au coin de la rue ; ils sont entrés *ensemble* dans leur case, sous l'œil furibond de Golaud qui est resté dehors.

Mais évidemment, si « ensemble » est un nom, il varie :

- *Ensemble*, ils venaient d'acheter trois *ensembles* aux couleurs vives : un joli tailleur Chanel pour elle, un costume cravate pour lui, et un smoking jaune pour Golaud.

Ça va leur coûter « cher » ! Employé comme adverbe, « cher » est invariable :

- Les trois ensembles de Pelléas et Mélissande coûtent *cher*.

→ Lorsque « cher » est employé comme adjectif, il varie : ces deux personnages me sont *chers*.

« Même » ! « Même » peut être adverbe ou adjectif. En général, si on ne peut pas le déplacer, si on peut le remplacer au pluriel par *eux-mêmes*, *elles-mêmes*, il est adjectif :

Ce sont les paroles *mêmes* de Mélissande (les paroles elles-*mêmes*). S'il est déplaçable, il est adverbe, donc invariable :

- Les ouvriers, les employés, les ingénieurs *même*, se sentaient humiliés (*même* les ingénieurs).

On pouvait aussi écrire :

- Les ingénieurs *mêmes* (les ingénieurs eux-

mêmes), tout dépend de l'idée qu'on veut exprimer.

Parfois, « tout » change ! Lorsqu'on peut le remplacer par « complètement », « entièrement », « tout » est invariable :

- Hélène est *tout* heureuse de partir en vacances à Troie. Devenue une groupie du chanteur Pâris, elle s'y consacre *tout* entière.

➜ Lorsque le mot qui suit « tout », adverbe, commence par un « h » aspiré ou par une consonne, on effectue l'accord :

- Hélène va revenir de vacances *toute* honteuse, *toute* déroutée. Ses amies qui l'avaient accompagnée sont *toutes* tristes, et, de plus, comme il pleut, elles sont *toutes* trempées.

➜ « *Tout* », adverbe, varie également lorsqu'il se situe entre l'article et l'adjectif qu'il modifie :

- Les *toutes* dernières nouvelles d'Hélène de Troie sont rassurantes : elle serait à Rhodes.

Attention, risque de lourdeur !

Si vous écrivez des articles pour les journaux, des romans, des poèmes, des nouvelles, sachez que l'adverbe de manière terminé par « ment » est assez mal vu des lecteurs : on lui reproche de donner à la phrase une sorte de lourdeur enrhumée, une sinusite automnale en toute saison, une espèce d'effort constant qui l'empêche de voler. Alors, délestez-vous, rapidement…

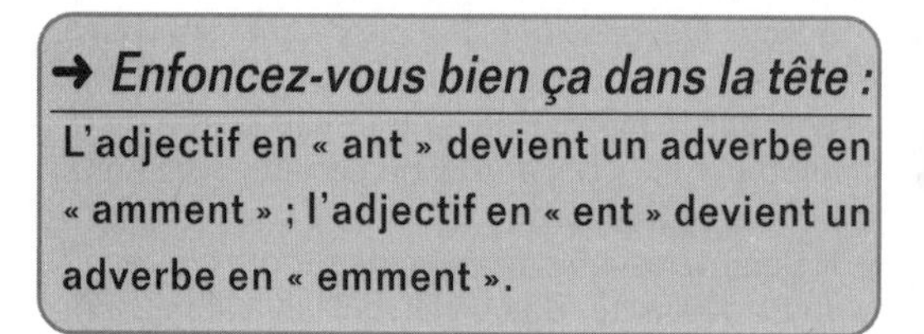

→ *Enfoncez-vous bien ça dans la tête :*

L'adjectif en « ant » devient un adverbe en « amment » ; l'adjectif en « ent » devient un adverbe en « emment ».

Plein emploi pour le subjonctif

21

Vous venez de vous dire : « Globalement, le subjonctif, je maîtrise… » Et pourtant, rappelez-vous : la semaine dernière, ou celle d'avant, vous avez hésité ; c'était après « quoique… » ou après « bien que… », vous avez gauchement contourné la difficulté en shuntant la syntaxe (en la court-circuitant si vous préférez).

Et les métaphoriques fusées que vous aviez préparées dans votre intervention orale ont fait l'effet de pétards mouillés. Il eût pourtant fallu qu'elles pétassent pour qu'on vous fêtât. (Oui, « qu'elles pétassent » ! Il n'était pas nécessaire que vous vous esclaffassiez, c'est tout à fait correct !)
Pour que le doute plane, le subjonctif lui donne des ailes : le subjonctif est un mode verbal qu'on emploie chaque fois que le fait exprimé comporte un doute, une incertitude quant à sa réalisation. Le subjonctif comporte quatre temps : le présent *(que je prenne)*, l'imparfait *(que je prisse)*, le passé *(que j'aie pris)* et le plus-que-parfait *(que j'eusse pris)*.

Des exemples ? En voici, en voilà...

- Dans son roman *Une adoration*, Nancy Huston désire que le lecteur **devienne** juge.
  Le lecteur ne l'est pas encore devenu, ce n'est pas sûr : donc, on emploie le subjonctif **devienne**).

- Son héros, Cosmo, aime que les foules **soient** séduites, qu'elles **sachent** apprécier son humour.
  Soient et **sachent** sont suspendus dans l'incertain : on emploie le subjonctif).

- Parce que Johnny avait 60 ans, il fallait que chacun se **sentît** concerné, **prît** l'attitude de l'adorateur un peu naïf, et **consentît** à toute la comédie simpliste de la nostalgie. Mais tout le monde n'en avait pas forcément envie.
  Sentît, **prît** et **consentît** sont au subjonctif imparfait parce que ces trois actions ne se sont pas forcément réalisées.

- Tout a été fait pour séduire : le producteur a sollicité des romanciers afin qu'ils **écrivent** des textes de chansons.

Dans ce cas, le subjonctif présent, 3e personne du pluriel, s'écrit et se prononce exactement comme l'indicatif présent 3e personne du pluriel : **écrivent**).

La ferme ! Le subjonctif s'emploie dans les propositions indépendantes lorsque le fait exprimé est suspendu dans sa réalisation, lorsque le doute plane :
- Que ce coq de basse-cour se **taise** enfin !

C'est un ordre ! On emploie le subjonctif lorsque le fait exprimé dans une proposition indépendante est en rapport avec un ordre :
- Le chanteur étant vraiment médiocre, que personne ne **sorte** avant d'avoir été remboursé.

En attendant qu'il vienne : le subjonctif s'emploie dans les subordonnées de temps lorsque le fait qui y est exprimé n'est pas réalisé par rapport au fait de la proposition principale :
- En attendant qu'il **vienne**, elle dort.

→ l'emploi du subjonctif **vienne** indique qu'il peut venir, mais aussi ne pas venir.

Subjonctif demandé : les conjonctions ou locutions conjonctives de temps demandant le subjonctif sont : *en attendant que, avant que, jusqu'à ce que.*

Pas de subjonctif après « après que » ! On ne devrait pas employer le subjonctif après la locution conjonctive « après que » puisque le fait qu'elle introduit est réalisé par rapport au fait de la proposition principale. Ainsi, la forme correcte est :

- **Après que** les invités en liberté conditionnelle *sont arrivés*, Lulu la Mitraille a allumé le barbecue et servi les petits jaunes.

But ! On emploie le subjonctif après les locutions conjonctives : *pour que, afin que, de peur que,* de *crainte que*, qui expriment une idée de but :

- *De peur que* Justine n'**interrompe** son match faute de munitions, une cargaison de balles a été acheminée dans une petite camionnette ; c'est ce qu'on appelle des balles de break.

Le secret de la concession : on emploie le subjonctif après les locutions conjonctives ou conjonctions introduisant une idée de concession : *bien que, quoique, malgré que* (l'emploi de cette locution est cependant déconseillé par les puristes), *sans que, loin que, si… que, quelque… que, pour… que, tout… que* :

- *Quoique* l'arrêt de la production de la *New Beetle* berline **soit** décidé, le cabriolet est sorti en mai.

Pas de couac pour « quoi que » ! quoique en un mot ou **quoi que** en deux mots ? Lorsqu'on peut remplacer **quoique** par « bien que », on l'écrit en un mot. Lorsqu'on ne peut effectuer cette substitution, on écrit **quoi que** (en deux mots).

- **Quoique** (bien que) Lulu la Mitraille *ait servi* les pastis, l'ambiance demeure explosive.

- **Quoi que** tu *penses* de Lulu la Mitraille, ne le montre pas devant Nono le Flingo !

- Il ne faut pas faire confiance à Nono le Flingo, **quoiqu**'il *soit* calme et ***quoi qu***'il *dise* !

Noël Proust Marcel : parfois (mais c'est rare), on peut rencontrer, si le sens l'impose absolument, l'indicatif après **bien que** ou **quoique**. Pour cela, il faut que le fait exprimé ne possède pas le caractère d'improbabilité exigeant le subjonctif. Ainsi, dans la Recherche, Marcel Proust est heureux de partir pour le midi, mais il ajoute :

- « ... **Quoique** cela me *fera* manquer un arbre de Noël ».

Bonne manière : on emploie le subjonctif après les locutions : *de manière que, de façon que*, introduisant une subordonnée de conséquence :
- Nous avons bâillonné le barde celte *de manière qu'*il ne nous **casse** plus les oreilles.

(Parfois, on ne sait pourquoi, au lieu de « de manière que », on entend « de manière à ce que », locution à rallonge qui n'apporte rien de plus au sens, sinon une espèce d'inélégance.)

Blaise Cendrars (1887-1961). Le subjonctif doit être utilisé dans les subordonnées de conséquence qui commencent par : *assez... pour que, trop... pour que, suffisamment... pour que* :
- L'auteur de la *Prose du Transsibérien* est suffisamment persuasif *pour qu'*on le **croie** (**croie** est à la 3e personne du singulier du présent du subjonctif).

Frédéric Sauser (1887-1961). Lorsque, dans la principale, on a une forme négative ou une forme interrogative, on emploie le subjonctif dans la subordonnée de conséquence :

- Cependant, il n'est pas si persuasif qu'il **parvienne** à convaincre les Sibériens de l'avoir vu là-bas. Fut-il assez prudent ou assez fou pour qu'aucun de ses lecteurs ne **s'aperçoive** de rien ?

Fer à repasser : lorsque la subordonnée de cause commence par : *non que, non pas que*, on emploie le subjonctif :
- Cette nouvelle voiture ne nous plaît pas ; *non que* nous **fassions** preuve de mauvaise volonté, mais sa forme de fer à repasser ne fait pas assez « branché ».

« Pour peu que » : on emploie le subjonctif dans les subordonnées de condition commençant par : *pour peu que, pourvu que* :
- *Pour peu* qu'il **réussisse** à écrire quelques polars, il se prendra pour Simenon.

Puissant ou misérable ! On n'emploie pas le subjonctif après la locution conjonctive *selon que* :
- *Selon que* vous **serez** puissant ou misérable, les jugements de cour vous rendront blanc ou noir (La Fontaine).
- La vie de l'élève est une impasse : *selon* qu'il **obtient** la meilleure ou la pire moyenne, il est traité de fayot par ses camarades ou de cancre

par ses professeurs.

Avis de recherche ! Dans une proposition subordonnée relative, on peut employer le subjonctif ou l'indicatif selon le sens qu'on veut produire.

- Je cherche un traducteur qui **soit** capable de décoder les propos étranges de cette actrice

(on emploie le subjonctif **soit** car ce traducteur n'existe peut-être pas).

- Je cherche une traductrice fragile qui **est habillée** de vert (cette traductrice fragile existe : elle est habillée de vert ; il ne reste plus qu'à la trouver. Si on utilise un subjonctif, on la rend improbable).

Désir et sentiment ! Lorsque dans la proposition principale est contenue une idée d'ordre, de désir, de sentiment, de souhait, de volonté, on emploie dans la subordonnée conjonctive, le subjonctif :

- Je veux que vous **fermiez** ce livre !
- Je désire que vous m'**apportiez** mes chaussons et mon petit café noir !
- J'aimerais que vous me **disiez** des mots doux !

Concorde : l'emploi de l'imparfait du subjonctif est très simple. Il suffit de l'utiliser quand le temps de la proposition principale est au passé. Il s'agit alors d'une simple concordance des temps.
Si la principale est au présent, on met la subordonnée au présent :
- Je voudrais (présent du conditionnel) que vous **compreniez** (présent du subjonctif).
  On peut aussi mettre la subordonnée au passé du subjonctif si le sens le demande :
- Je veux que vous **ayez compris** à la fin de cette page.

Si la principale est au passé, on met la subordonnée à un temps du passé :
- J'aurais aimé (passé du conditionnel) que vous comprissiez (imparfait du subjonctif).
- J'aurais préféré que vous **eussiez compris** (plus-que-parfait du subjonctif).
- J'eusse préféré (conditionnel passé 2e forme) que vous **eussiez compris** (plus-que-parfait du subjonctif).

→ Mais l'emploi systématique du subjonctif imparfait après une principale au passé risque de faire un peu pédant. Si dans une boucherie, vous dites, pourtant fort correctement :
- J'aurais préféré que vous **ficelassiez** mon rôti,

que vous **découpassiez** en tranches mon jambon, et que vous me **servissiez** le pâté avec un gant de plastique...,

➜ On risque de vous regarder avec une perplexité inquiète à cause des subjonctifs imparfaits (et teintée de culpabilité rageuse à cause du gant...).

Pas difficile ! Pour conjuguer le subjonctif imparfait, il faut partir du passé simple de l'indicatif, et ajouter au radical suivi de la première lettre de la terminaison, les désinences suivantes : « sse », « sses », « ât » ou « ît » ou « ût », « ssions », « ssiez », « ssent » :

- 1er groupe (marcher) : Je marchai, que je marchasse ; tu marchas, que tu marchasses ; il marcha, qu'il marchât ; nous marchâmes, que nous marchassions ; vous marchâtes, que vous marchassiez ; ils marchèrent, qu'ils marchassent.
- 2e groupe (divertir) : je divertis, que je divertisse ; il divertit, qu'il divertît, etc.
- 3e groupe (pouvoir) : je pus, que je pusse ; tu pus, que tu pusses ; il put, qu'il pût ; nous pûmes, que nous pussions ; vous pûtes, que vous pussiez ; ils purent, qu'ils pussent.

Attention au chapeau ! La différence entre le passé simple de l'indicatif, 3e personne du singulier, et l'imparfait du subjonctif, 3e personne du singulier, tient à l'accent circonflexe et au « t » pour les verbes du 1er groupe, et à l'accent circonflexe seulement pour les autres groupes :

– Ce jour-là, Schumacher **alla** encore si vite qu'il **gagna** le Grand Prix. Quel ennui ! Nous aurions aimé que, ce jour-là, Schumacher n'**allât** pas si vite : il aurait perdu le Grand Prix. Quel bonheur pour Montoya !

– En 2020, la compétition de Formule 1 **fut supprimée** parce qu'elle était tellement ennuyeuse que même les pilotes s'endormaient au volant. En 2010, les téléspectateurs auraient aimé que la compétition de Formule 1 **fût supprimée** parce que, déjà, ils s'endormaient à la télécommande.

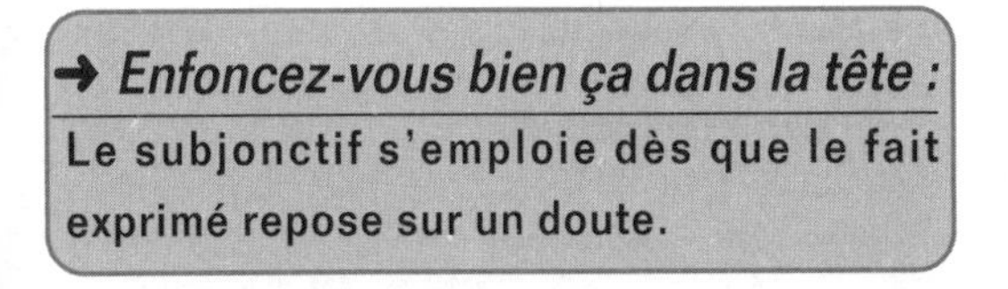

22 Le verbe : toujours vingt temps !

– Le verbe, n'est-ce pas le verbum, verbi latin qui signifie « mot », « expression » ?
– Vous en savez, des choses !
– Le verbe, ne serait-ce pas le mot par excellence, celui qui varie selon la personne qui l'emploie, qui est capable de voyager dans le temps, de définir précisément une action, sa durée ? Bref, un mot qui serait en quelque sorte le générateur de la phrase, presque son géniteur, en tout cas son noyau ?
– Si, mais où prenez-vous tous ces renseignements ?
– Je les lis à mesure que vous les tapez...

Voulez-vous connaître le passé, le présent, l'avenir ?
Le verbe est un mot qui, dans la phrase, permet de définir une action dans le passé, le présent, l'avenir, dans l'imaginaire ou dans l'universel. Parfois, au lieu d'une action, c'est un état qui est exprimé.

Des exemples ? En voici, en voilà...

- Hier, nous **avons cueilli** des champignons (action dans le passé).
- Aujourd'hui, nous les **mangeons**. Sont-ils vénéneux ? (Action dans le présent).
- Demain, nous le **saurons** (action dans l'avenir).
- Nous **pourrions arriver** aux portes du paradis ou de l'enfer dans la soirée (action dans l'imaginaire).
- Il **faut** toujours **se méfier** des champignons (vérité universelle).
- Pour l'instant, nous ne **sommes** pas malades (le verbe **sommes** indique ici un état).

Restez groupés ! Les verbes français sont répartis en trois groupes, classés selon leur terminaison :

Le **1er groupe** rassemble les verbes terminés par « er », au nombre de douze mille environ. C'est un groupe ouvert qui accueille les verbes les plus récents. Leur participe présent se termine par « ant » : *informatiser, informatisant.*

Le **2e groupe** comprend les verbes terminés par

« ir » et dont le participe présent se termine par « issant ». On en compte environ trois cents. C'est un club fermé ! Plus aucun verbe n'y naît depuis la conquête de la lune : *finir, finissant ; alunir, alunissant.*

Le **3e groupe** est également un club fermé. Il rassemble les verbes terminés par « ir », « oir » ou « re ». On ne s'y reproduit plus, et le nombre d'inscrits avoisine aussi les trois cents. Leur participe présent se termine par « ant » : *partir, partant ; voir, voyant ; prendre, prenant.*

Une partition à trois voix !

1. **Action !** La voix active : le sujet est actif, il agit, il fait l'action exprimée par le verbe :
– Le voisin serviable tond la pelouse d'Aurore.
2. **Soumission !** La voix passive : le sujet est passif, il subit l'action exprimée par le verbe. L'élément actif, celui qui agit, se retrouve alors en position de complément ; on l'appelle le complément d'agent, parce qu'il agit, il accomplit l'action :
– La pelouse d'Aurore est tondue par le voisin serviable.

3. **Réflexion !** La voix pronominale : dans « pronominale », il y a « pronom ». La voix pronominale comporte donc un pronom personnel complément ; ce pronom personnel complément devant le verbe à l'infinitif est « se » *(se raser, se maquiller, se moucher)*. Il doit impérativement représenter la même personne que le sujet : il « réfléchit » cette même personne :

– La voisine *se* maquille (le pronom personnel « se » représente la même personne que le sujet « voisine » : le verbe est donc à la voix pronominale).
– Tu te maquilles (« tu » et « te » représentant la même personne, le verbe est aussi à la voix pronominale).
– Tu me maquilles (« tu » et « me » représentant deux personnes différentes, le verbe est ici à la voix active : « maquiller », et non plus « se maquiller »).

Dans le dictionnaire, les verbes pronominaux ou employés pronominalement sont suivis de cette abréviation : « v. pr. » (voix pronominale).

Polyphonie : la plupart des verbes peuvent être tantôt à la voix active, tantôt à la voix passive, tantôt à la voix pronominale : *regarder* (voix active) ; *être regardé* (voix passive) ; *se regarder* (voix pronominale) ; *endormir* (voix active) ; *être endormi* (voix passive) ; *s'endormir* (voix pronominale) ; *réveiller* (voix active) ; *être réveillé* (voix passive) ; *se réveiller* (voix pronominale).

Dans quel sens ? La voix pronominale comporte trois sens :

1. Le sens réfléchi (l'action faite par le sujet se « réfléchit » sur lui-même : la voisine se regarde dans le miroir) ;
2. Le sens réciproque (l'action va de l'un à l'autre des éléments contenus dans le sujet : les voisins se battent avec des battes) ;
3. Le sens passif (la voix pronominale est l'équivalent d'une voix passive : les fruits de mer se vendent cher en ce moment).

D'une voix à l'autre : il est facile de passer de la voix active à la voix passive lorsqu'on dispose d'un sujet, d'un verbe et d'un COD dans la phrase.

Voix active :

- Les artistes contemporains Pollein et Klock *(sujet)* ont fort intelligemment barbouillé *(verbe, voix active, transitif direct)* ces toiles *(COD)* parce qu'il existe des gogos très intelligents.

Voix passive :
- Ces toiles *(sujet qui subit l'action)* ont été fort intelligemment barbouillées *(verbe, voix passive)* par Pollein et Klock *(complément d'agent : il agit, Pollein et Klock ont agi, ils ont peint les toiles)* parce qu'il existe des gogos très intelligents.

Changement de voix : pour passer d'une voix à l'autre, il faut veiller à conserver le même temps :
- Les artistes ont barbouillé les toiles (le verbe est conjugué au passé composé de la voix active).
- Les toiles ont été barbouillées par les artistes (le verbe est conjugué aussi au passé composé, mais à la voix passive, c'est-à-dire avec l'auxiliaire *être* en plus).

Prudence ! Souvent la voix passive est utilisée pour éviter de nommer les responsables d'une action : on omet alors le complément d'agent. Dans les titres de presse où l'on veut rester prudent, on emploie souvent la voix passive sans le complément d'agent :

- Des augmentations du prix de l'essence de térébenthine et de cannelle ont été décidées (par qui ? Vous ne le saurez pas ! Il a été décidé de ne pas donner le complément d'agent, celui qui agit…).

→ Cette voix passive peut cependant être transformée en voix active. On utilise alors le pronom indéfini « on » : on a décidé des augmentations du prix de l'essence de térébenthine et de cannelle.

Modes de pensée : en français, le verbe comporte six modes. Chacun de ces modes est spécialisé dans l'expression de la pensée.

1. Si les faits que j'exprime sont réels ou semblent réels dans le passé, le présent ou l'avenir, j'emploie le mode indicatif :
- Les Égyptiens **construisaient** des pyramides en utilisant des techniques de pointe.
2. Si, dans les faits que j'exprime, plane un doute, une incertitude, s'ils sont suspendus dans leur réalisation, j'emploie le mode subjonctif :
- Il serait indispensable que l'on **construise** près du Caire, ou à Paris, une bonne douzaine de pyramides neuves afin que les égyptologues, dans quatre mille ans, **aient** encore du travail.
3. Si les faits relèvent de l'imaginaire, si leur exis-

tence est subordonnée à des conditions non réalisées, j'emploie le mode conditionnel :
- Les pyramides couvriraient entièrement le sol égyptien si leur construction s'était poursuivie à travers les siècles.

4. Si je donne un ordre, j'emploie le mode impératif :
- Si tu deviens pharaon, à quelque époque que ce soit, **construis** une pyramide !

5. Si j'exprime une action au moyen d'une forme verbale qui est tantôt un verbe, tantôt un adjectif, tantôt un adverbe, j'emploie un mode qui participe à ces deux états, le mode participe :
- **Ayant construit** sa pyramide, le petit Ramsès II l'abandonna sur la rive du fleuve **en rêvant** à la marée montante des siècles.

6. Si j'exprime l'action ou l'état sans personne pour les conjuguer, j'emploie le mode infinitif :
- Pour **construire** une pyramide, aujourd'hui, on transporterait tout en camion.

En chantant ! On appelle le participe présent précédé de la préposition « en », un gérondif. Le gérondif exprime une circonstance : *cause, manière, moyen, etc.* :
- Quand j'étais petit garçon, je repassais mes leçons **en chantant** (le gérondif **en chantant** est CC de manière de « repassais »).

« **Fatigant » ou « fatiguant » ?** Le premier (fatigant) est un adjectif verbal, c'est-à-dire qu'il peut être épithète (un enfant fatigant) ou attribut (le roi de Rome est fatigant) ; on peut alors le faire précéder de « très » (le roi de Rome est *très* fatigant). Le second est un participe présent : il joue le rôle d'un verbe (il conserve le « u » du radical), il peut avoir un ou plusieurs compléments et demeure invariable : le roi de Rome, fatiguant sa maman, Marie-Louise, sera privé de poney.

Vieux couples : voici des couples « adjectif verbal-participe présent » qui se terminent par « ant » : *communicant-communiquant ; convaincant-convainquant ; extravagant-extravaguant ; intrigant-intriguant ; navigant-naviguant ; provocant-provoquant ; suffocant-suffoquant ; vacant-vaquant.*
Voici d'autres couples « adjectif verbal-participe présent » qui se terminent par « ent » (adjectif verbal ou nom) et « ant » (participe présent) : *adhérent-adhérant ; coïncident-coïncidant ; convergent- convergeant ; déférent-déférant ; détergent-détergeant ; différent-différant ; divergent-divergeant ; émergent-émergeant ; équivalent-équivalant ; excellent-excellant ; expédient-expédiant ; influent- influant ; négligent-négligeant ;*

président-présidant ; précédent-précédant ; résident- résidant ; somnolent-somnolant ; violent-violant. Enfin, deux verbes *(affliger et exiger)* possèdent une même orthographe pour l'adjectif verbal et le participe présent : *affligeant* et *exigeant.*

« **Avance donc !** » L'impératif comporte trois personnes : *pense* (deuxième personne du singulier), *pensons* (première personne du pluriel), *pensez* (deuxième personne du pluriel). Pour écrire la deuxième personne du singulier sans faire d'erreur, voici un procédé qui vous simplifiera la tâche : faites précéder cette deuxième personne du singulier, mentalement, de « je », et vous obtenez l'orthographe correcte :
– Regarde (je regarde) devant toi ! dit Orphée à Eurydice. Avance ! (J'avance.) Mais avance donc ! dit Eurydice à Orphée. Ne te retourne (je retourne) pas !

« **Vas-y !** » Lorsque le « e » (ou le « a ») final de l'impératif est suivi d'un mot relié commençant par une voyelle, on ajoute la lettre « s », seulement pour éviter l'hiatus :
– Regarde mes fruits tout frais ! dit Ève à Adam. Goûtes-y ! Vas-y ! Manges-en !

« **Va-t'en !** » L'impératif est relié aux pronoms qui le complètent par un ou des traits d'union. Mais, attention, le pronom complément, s'il est suivi d'une voyelle, doit être élidé, c'est-à-dire amputé de son « e » qu'on remplace par une apostrophe... En clair, on écrit « va-t'en ! » (et non « va-t-en ! ») parce que « t' » est un pronom personnel (« te »). Attention, encore : le « t' » n'est pas forcément un pronom personnel, ce peut être une lettre qui évite l'hiatus. Dans ce cas, on la fait suivre d'un trait d'union... En clair, on écrit : *va-t-on* bientôt en finir avec tout ça ?

« **Conduis-m'y !** » Est-il besoin de rappeler comment pronominaliser après l'impératif ? Oui ? Allons-y :

- Je vois des mûres dans la haie, dit Eurydice aux sherpas d'Orphée, **donnez-m'en** plusieurs (et non **donnez-moi-z-en**...), **mettez-m'en** plein les poches.
- Le maître des Enfers avait dit à Eurydice : « Qu'Orphée ne se retourne pas ! **Convaincs-l'en !** » « Orphée ! s'était écriée Eurydice, emmène-moi vite vers la lumière, vite, **emmène-m'y ! Conduis-m'y !** Et déjà, **parle-m'en !** »

Une femme trop mûre ! Lorsque deux pronoms personnels suivent l'impératif, ils sont reliés entre eux et à l'impératif par des traits d'union. Le COD vient toujours en premier :
- Ces mûres, donne-les-moi ! crie Orphée.

➜ À la forme interrogative, le COD vient aussi en premier, mais on omet les traits d'union :
- Les lui donnerez-vous ? demandent les sherpas.

➜ À la forme négative, le COD vient aussi en premier et on omet les traits d'union :
- Ne les lui donnez pas ! ordonnent les sherpas. Au moins, celle que tu tiens entre pouce et index, donne-la-moi, demande Orphée. Et il se retourne… Voilà pourquoi Eurydice a disparu, peut-être parce qu'elle était une femme trop mûre…

Le passeur ! Le mot transitif vient du latin *transire*, qui signifie « passer ». Un verbe transitif sert de passeur entre le sujet et le complément d'objet. Lorsque le complément d'objet est direct, on dit que le verbe est transitif direct. Lorsque le complément d'objet est indirect, on dit que le verbe est transitif indirect. Un verbe qui ne possède pas de complément d'objet (ni COD ni COI) est un verbe intransitif.

Bondissez ! Comment savoir si un verbe est transitif ou intransitif ? Bondissez sur le dictionnaire et cherchez-y, par exemple, le verbe « bondir ». Que lisez-vous en abrégé, immédiatement après « bondir » ? Les lettres « v. i. » Et que signifie « v. i. » ? Verbe intransitif. Vous pouvez donc être certain que le verbe « bondir » n'aura jamais de complément d'objet (son participe passé ne s'accordera donc jamais non plus).

Et sans les mains ? Sans dictionnaire, vous pouvez vous demander si « bondir » peut avoir un COD : peut-on bondir quelque chose ou quelqu'un ? Non ! Le verbe « bondir » n'est donc pas transitif direct. Peut-on bondir de quelque chose, ou à quelqu'un ? Oui ! On peut bondir de sa cachette, par exemple, mais le mot « cachette » est CC de lieu (il répond à la question bondir d'où ?) et non COI. Le verbe « bondir » n'est donc pas transitif indirect. Bilan : il est intransitif.

Au Scrabble : au Scrabble, pour accepter un participe passé accordé, il faut qu'il soit issu d'un verbe transitif direct. Voilà pourquoi on cherche dans le dictionnaire si le verbe est transitif direct, et pourquoi on se demande si telle chose peut être *nagée* (non ! « nager » est un v. i., donc le mot est refusé) ; en revanche, telle chose peut être *gagnée* (oui ! « gagner » est transitif direct).

À qui parler ? Cherchez maintenant, dans le dictionnaire utilisé plus haut, le verbe « parler ». Quelle surprise, n'est-ce pas ? Ce verbe peut être tantôt intransitif :

- Ah ! que tu parlais bien quand toutes les fenêtres pétillaient dans le soir (Cadou) ;

tantôt transitif indirect :

- Je vous parle d'un temps que les moins de 20 ans ne peuvent pas connaître (Aznavour) ;

tantôt transitif direct :

- Cette Chinoise parle finnois.

Un même verbe peut donc être intransitif, transitif indirect et transitif direct, tout dépend de la structure où il s'insère.

Uniques en leur genre : certains verbes sont uniquement transitifs indirects (« v. t. ind. » dans le dictionnaire) : *succéder, sourire, triompher* (leur participe passé ne s'accordera donc jamais : les clients se sont *succédé*).

On a tous les jours vingt temps ! La conjugaison comporte vingt temps répartis dans les six modes énumérés plus haut. Il suffit de se plonger quelque peu dans un livre de conjugaison pour connaître cette répartition, que voici succinctement rappelée :

Mode indicatif : présent (actuel, historique, général), imparfait (action longue dans le passé), passé simple (action précise dans le passé), futur simple (action dans le futur proche ou éloigné), passé composé (action proche ou éloignée dans le passé), plus-que-parfait (action située avant une autre à l'imparfait), passé antérieur (action située avant une autre au passé simple), futur antérieur (action située avant une autre au futur simple).

Mode conditionnel : présent (j'apprendrais), passé 1re forme (j'aurais appris, action située avant celle qui est exprimée au présent), passé 2e forme (j'eusse appris).

Mode subjonctif : présent (que j'apprenne), passé (que j'aie appris), imparfait (que j'apprisse), plus-que-parfait (que j'eusse appris, même conjugaison que le conditionnel passé 2e forme).

Mode impératif : présent (apprends), passé (aie appris).

Mode participe : présent (apprenant), passé (ayant appris).

Mode infinitif : présent (apprendre), passé (avoir appris).

TABLEAU DES PRINCIPALES TERMINAISONS

	1er groupe	2e groupe	3e groupe
Présent	e, es, e, ons, ez, ent	is, is, it, issons, issez, issent	-s, s, t, ons, ez, ent -x, x, t, ons, ez, ent
Imparfait	ais, ais, ait, ions, iez,	ais, ais, ait, ions, iez, aient	ais, ais, ait, ions, iez, aient
passé simple	ai, as, a, âmes, âtes, èrent	is, is, it, ïmes, îtes, irent	-ins, ins, int, înmes, întes, inrent -us, us, ut, ûmes, ûtes, urent
futur	erai, eras, era, erons, erez, eront	irai, iras, ira, irons, irez, iront	rai, ras, ra, rons, rez, ront
conditionnel	erais,erais, erait erions, eriez, eraient	irais, irais, irait, irions, iriez, iraient	rais, rais, rait, rions, riez, raient
subj. prés.	e, es, e ions, iez, ent	isse, isses, isse, issions, issiez, issent	e, es, e, ions, iez, ent
Impératif	e, ons, ez	is, issons,issez s, ons, ez	e, ons, ez

La boîte aux petits doutes

23

- **« A » ou « à » ?** On écrit « a » (verbe avoir) quand on peut le remplacer par « avait », sinon, on écrit « à » (la préposition).
- **La brouett… ?** On écrit sans « e » les noms féminins terminés par « té » *(bonté, malhonnêteté)* sauf : *dictée pâtée, jetée, montée, butée, portée, tétée, nuitée*, et les noms qui indiquent un contenu : *pelletée, potée…* et donc… *brouettée* !
- **« La » ou « l'a » ?** On écrit « la » (pronom personnel devant un verbe) lorsqu'on peut le remplacer par « le ») ; on écrit « l'a » quand on peut remplacer par « l'avait » ; on écrit « là » quand on peut remplacer par « ci » ou par « ici ».
- **« Ont » ou « on » ?** On écrit « ont » quand on peut remplacer par « avaient », sinon, on écrit « on » (pronom indéfini).
- **« Sont » ou « son » ?** On écrit « sont » quand on peut le remplacer par « étaient », sinon, on écrit « son ».

- **« T'a », « m'a » ou « ta », « ma » ?** On écrit « t'a » ou « m'a » si on peut les remplacer par « t'avait » ou « m'avait », sinon, on écrit « ta » ou « ma ».
- **« Er » ou « é » ?** Le son « é » final des verbes du 1er groupe : « er » ou « é » ? On écrit « er » (infinitif) lorsqu'on peut remplacer le verbe par un autre verbe du 2e ou du 3e groupe à l'infinitif : j'entends crier (j'entends agir, j'entends rire). On écrit « é » (participe passé) lorsqu'on peut remplacer le verbe par un autre verbe du 2e ou du 3e groupe au participe passé : tu as crié (tu as agi, tu as ri).
- **« Près » ou « prêt »?** On écrit *près de* lorsqu'on veut dire « sur le point de » : les lecteurs ne sont pas *près d'*oublier ce livre scandaleux (ils se le rappelleront longtemps). On écrit *prêt à* lorsqu'on veut dire « disposé à », « préparé pour » : les lecteurs ne sont pas *prêts à* oublier ce livre scandaleux (ils ne sont pas disposés à oublier le livre, ils veulent se le rappeler, afin d'en reparler peut-être, parce qu'il les a choqués).
- **« Quand », « quant » ou « qu'en » ?** On écrit « quand » lorsqu'on peut le remplacer par « au moment où ». On écrit « quant » lorsqu'il est suivi de la préposition « à » et que l'ensemble *quant à* signifie « pour ce qui est de », « en ce

qui concerne ». On écrit « qu'en » lorsqu'on peut remplacer le « qu' » par « que ».

- **« Où » ou « ou » ?** On écrit « où » lorsqu'on ne peut pas le remplacer par « ou bien » (si on peut le remplacer par « ou bien », on écrit « ou »).
- **« N'y » ou « ni » ?** On écrit « ni » (et non « n'y ») lorsqu'on peut le remplacer par « pas » ou bien par « aucun ». Elle *n'y* pense *ni* le jour *ni* la nuit, *n'y* rêve *ni* à midi *ni* à minuit, c'est dommage pour lui !
- **« Ci-joint » ?** On écrit : *ci-joint* vos photos ; vos photos *ci-jointes ;* vous trouverez *ci-joint* photocopie de l'acte ; vous trouverez *ci-jointe* la photocopie de l'acte (la présence du déterminant impose l'accord). *Ci-inclus* vos attestations. Vous trouverez *ci-incluses* vos attestations. Vous trouverez *ci-inclus* attestations et photos (« attestations » et « photos » ne sont pas accompagnés d'un déterminant). Même règle pour « ci-annexé ».

index